BERLITZ®

Louise Bastien
~~340-9129~~
385-0898

LISBONNE

Une publication des Guides Berlitz

Printed in Switzerland by Weber S.A., Bienne.

12e édition (1990/1991)

Mise à jour: 1989, 1988, 1986, 1985, 1983, 1982, 1981

TRANSTEJO
LISBOA

Comment se servir de ce guide

- Tous les renseignements et conseils utiles avant et pendant votre voyage sont rassemblés dans le chapitre *Berlitz-Info* (p. 101). Les *Informations pratiques* proprement dites débutent à la page 106, mais le sommaire de cette section figure à l'intérieur de la page de couverture, en début de guide.
- Pour mieux saisir l'ambiance de la région, lisez *Lisbonne et les Lisbonnins* (p. 6) et *Un peu d'histoire* (p. 13).
- La visite des sites et des monuments commence à la page 26 et se termine à la page 58. De la page 59 à la page 81, nous vous suggérons quelques excursions d'un jour à partir de Lisbonne.

  Les endroits que nous vous recommandons de visiter absolument vous sont signalés par le symbole Berlitz.
- Toutes les distractions – aussi bien diurnes que nocturnes – sont décrites de la page 82 à la page 93. Et pour en savoir plus sur les restaurants et les plaisirs de la table, parcourez les pages 93 à 100.
- L'*index*, enfin (pp. 126–128), vous permettra de retrouver tout ce qui vous intéresse plus particulièrement.

Bien que l'exactitude des informations présentées dans ce guide ait été soigneusement vérifiée, elle n'en est pas moins subordonnée aux fluctuations temporelles. Aussi ne saurions-nous assumer de responsabilité pour des modifications de faits, de prix, d'adresses ou de situations générales, toutes sujettes à variations. Nos guides étant régulièrement remis à jour, nous examinons volontiers toutes les remarques que voudront bien nous transmettre nos lecteurs.

Texte établi par: Ken Bernstein
Adaptation française: Annick Pélissier
Photographie: Dany Gignoux
Maquette: Doris Haldemann
Merci aussi à Anne Jaquier, Gérard Chaillon et Pierre-André Dufaux de leur précieuse collaboration, ainsi qu'à l'Office National du Tourisme du Portugal à Genève, en particulier à Luis Rocha, dont le concours fut inestimable.
Cartographie: Falk-Verlag, Hambourg.

Table des matières

Photo de couverture: Vue de la Torre de Belém
Photo pp. 2–3: La Praça do Comércio vue du port

Lisbonne et les Lisbonnins

Dans un monde toujours à la recherche de l'extraordinaire, Lisbonne a choisi le juste milieu. Ne vous attendez pas à voir la plus grande place ou la plus haute cathédrale du monde. Ici, les revendications exagérées sont rares et les superlatifs s'appliquent plutôt aux habitants eux-mêmes, les plus gentils et les plus dignes qu'il vous sera jamais donné de rencontrer, et, qui plus est, les plus modestes.

Doués d'un sens réel de la beauté, les Lisbonnins aiment décorer leurs balcons de fleurs, leurs murs de carreaux de faïence à motifs et leurs trottoirs de mosaïques. Les vieilles femmes vêtues de noir utilisent des sacs brodés aux décors éclatants pour transporter les petits pains tout chauds des boulangers. Tous les parcs ont leurs cygnes et leurs canards favoris;

dans certains même, les plus grands, on peut voir des paons, blottis sous les arbres ou se pavanant dans les allées. Enfin, Lisbonne, ville de collines – plus d'une vingtaine et non sept, comme le veut la légende – offre de très belles perspectives sur les toits de tuiles et le magnifique port.

Là, le Tage, presque au bout de son long voyage commencé dans les montagnes de l'est de l'Espagne, s'enfle et devient «mer de Paille» (ce nom poétique que lui vient des reflets d'or que le soleil répand sur ses vastes eaux). Traversant Lisbonne, le fleuve se rétrécit suffisamment pour que puisse l'enjamber le pont suspendu le plus long d'Europe (voilà un des rares superlatifs!). Puis, il continue sa route à la rencontre de l'Océan, comme firent ces in-

Repaire ombragé pour un regard sur Alfama, quartier où le fado *exhale sa plainte rauque et noble.*

trépides navigateurs portugais des XVe et XVIe siècles qui fondèrent l'empire le plus vaste de l'époque.

L'océan Atlantique a beau commencer à quelques kilomètres à peine, au débouché de l'estuaire, le climat de Lisbonne est tout à fait méditerranéen. Sa clémence favorise, dans cette capitale de près d'un million d'habitants, un rythme de vie détendu.

Prenez vous aussi tout votre temps, et suivez les allées et venues d'une foule au sein de laquelle les gens venus de Goa, de Macao, du Cap-Vert, de l'Angola ou du Mozambique rappellent le passé colonial du pays.

Bien que l'histoire de Lisbonne remonte au moins à 3000 ans, le nombre de ses vieux monuments est limité. Le principal responsable en est le tremblement de terre catastrophique de 1755 qui détruisit quantité de magnifiques palais et églises. Le château Saint-Georges, au sommet de la plus haute colline de la ville, est un des monuments les plus remarquables qui aient survécu au séisme. Ses murailles enserrent un parc charmant, peuplé d'animaux.

Presque partout surgissent des preuves – souvent indirectes – du passé lointain de la capitale: notez le profil phénicien des bateaux de pêche modernes, l'habileté toute mauresque dont témoignent les faïences peintes ou le regard sombre et triste des gens. Ecoutez leur musique, le *fado*, ce cri éternel où se mêlent désirs et regrets.

Le lieu d'élection du *fado* est Alfama, le plus vieux quartier de la ville. On peut entendre partout, dans les rues en pente et tortueuses, cette mélodie plaintive qui s'échappe des maisons médiévales. Vous la percevrez d'autant mieux que la plupart de ces rues sont bien trop étroites pour que des autos y circulent.

En revanche, le boulevard central de la capitale est assez large pour permettre le passage de douze files de voitures en plus des deux rangées de stationnement. On compare souvent cette Avenida da Liberdade, vieille de plus d'un siècle, aux Champs-Elysées; mais la version lisbonnine est agrémentée de palmiers, de bassins où vivent des canards et de trottoirs en mosaïque.

Avenues élégantes ou ruelles escarpées, toutes souffrent d'un

La façade du monastère de Batalha présente un décor splendide, dont le portail est un élément essentiel.

Si, à Sesimbra, on réussit de beaux coups de filets, même avec du nylon, à Lisbonne, quand arrive la mécanique, on en oublie d'étudier les slogans.

même mal, bien de notre époque: les murs sont souvent dégradés par des affiches et des graffiti politiques. A peine les premiers slogans ont-ils été effacés que de nouveaux surgissent, simples gribouillages ou même parfois véritables calligraphies où s'expriment les revendications des partis et des groupements qui découvrent la liberté d'expression. Ce droit

nouveau date en effet de la révolution de 1974 qui renversa la dictature en place depuis longtemps. Les optimistes estiment que la liberté vaut bien ces défigurations temporaires des immeubles.

Les écrits omniprésents sur les murs ne s'accordent guère avec un peuple simple, enclin à la modération et à la discrétion. Les Lisbonnins portent des vêtements de coupe et de couleurs classiques. Ils ne vantent jamais leur ville, encore moins leur personne. Signe d'un tempérament mesuré, les queues qu'ils forment aux arrêts d'autobus sont plus longues et plus résignées qu'en Angleterre. Ils sont gentils, souvent même affectueux, envers les animaux: dans les corridas portugaises, on épargne le taureau.

On ne peut que bien s'entendre avec eux. Si vous leur demandez votre chemin, ils s'assureront que vous ne faites pas fausse route. Tous vous témoigneront gentillesse et hospitalité, mais pas un – qu'il soit garçon de café, cireur ou femme de chambre – ne vous fera de courbettes.

Lisbonne offre au visiteur tout un choix de monuments et de parcs, de musées et d'églises – avec quelques surprises. La célèbre Tour de Belém, ce point de repère que tous les explorateurs portugais guettaient à leur retour, s'avère être beaucoup plus petite que l'image qu'on s'en fait. L'imposante église de São Vicente de Fora possède un cloître à un étage tapissé d'*azulejos*, les célèbres carreaux de faïence, représentant des scènes étonnamment réalistes de chasse et de navigation et des fables de La Fontaine.

Outre des musées d'histoire et d'art portugais, vous découvrirez une foule de chefs-d'œuvre de l'art du monde entier rassemblés dans un cadre parfait par l'Arménien Calouste Gulbenkian, le magnat du pétrole.

Il faut aussi quitter la ville pour admirer la verte campagne et les plages. Un train de banlieue vous conduira en une demi-heure dans les stations balnéaires d'Estoril et de Cascais, sur la Costa do Estoril, à l'ouest de Lisbonne.

Vous pourrez aussi vous rendre à Sintra, une ravissante ville. Plus près de la capitale encore, il faut visiter à tout prix le palais de Queluz, dans le style du château de Versailles. Ou encore, offrez-vous l'excursion la meilleur marché de toutes: une traversée en bateau jusqu'à la rive sud du Tage. L'activité fébrile du port et les points de vue enchanteurs sur Lisbonne vous combleront. Et puis, de l'autre côté du fleuve, s'étend une merveilleuse région de vignobles, de moulins à vent et de plages que l'on peut visiter en une journée.

Au cours de vos excursions, chaque région vous révélera ses excellentes spécialités de vins et de cuisine: de bonnes soupes chaleureuses pour fêter le retour du pêcheur, des poissons et des coquillages qui sentent l'Océan et des fruits et légumes d'une fraîcheur sans égale. Quant aux vins, ils sont aussi modestes que les gens que l'on rencontre – aussi honnêtes et dignes d'être gardés en mémoire.

Un peu d'histoire

De toutes les légendes qui entourent la naissance de Lisbonne, la plus curieuse veut qu'Ulysse en ait été le père fondateur. Mais les historiens ne prennent pas au sérieux cette revendication de paternité et préfèrent situer les origines de la ville vers 800 av. J.-C., avec l'établissement d'un comptoir phénicien. Elle se serait alors appelée Alis Ubbo ou Olissipo... on perçoit déjà les sons de *Lisboa.*

Néanmoins, des milliers d'années auparavant, des peuples primitifs s'étaient déjà installés dans cette zone, tentés par sa situation à proximité d'un fleuve calme, à deux pas de l'Océan. C'est au cours du Ier millénaire av. J.-C. que des tribus celtiques investirent le nord et le centre du pays.

L'histoire écrite du Portugal commence au IIIe siècle av. J.-C., lorsque les Romains en chassèrent les Carthaginois et fondèrent la province de Lusitanie; Lisbonne reçut la charte de cité. On dit que Jules César lui aurait donné le nom de «Felicitas Julia», la félicité julienne; quel compliment!

A la suite du déclin de Rome, la péninsule Ibérique fut envahie par les Vandales et autres peuplades. Les Barbares s'emparèrent de Lisbonne au début du Ve siècle, et la ville resta sous la domination de diverses tribus nomades jusqu'à l'arrivée des Wisigoths, au VIe siècle, qui la pacifièrent.

L'invasion maure

En 711, une redoutable flotte d'envahisseurs venus d'Afrique du Nord traversa le détroit de Gibraltar et entreprit la conquête de l'Ibérie pour répandre la religion musulmane. Lisbonne tomba rapidement sous le joug des Maures. Elle devint un avant-poste prospère des nouveaux maîtres de la péninsule. Le très vieux et charmant quartier d'Alfama a conservé de cette époque le préfixe *Al*, de même qu'un ensemble de rues étroites et sinueuses aux détours aussi imprévisibles que ceux d'une casbah.

Vers la fin du VIIIe siècle commença la contre-attaque des chrétiens qui ne surent maintenir leurs conquêtes qu'en très peu d'endroits du Portugal. Ce n'est qu'en 1139, à la bataille d'Ourique, que la situation fut renversée. Le vainqueur, le comte Alphonse Henriquez du Portugal, devint alors le premier roi du pays. Lisbonne, cependant, réussit à se soustraire à son joug pendant encore huit ans. Les Mau-

A la proue du monument élevé à sa gloire, Henri le Navigateur montre le chemin aux explorateurs.

res, en effet, étaient en sécurité dans leur citadelle qui porte maintenant le nom de château Saint-Georges.

En 1147, le roi recruta une armée volontaire de milliers de croisés normands, flamands, allemands et anglais qui faisaient route vers la Terre sainte. Il les avait convaincus de s'attarder pour attaquer les Musulmans et, récompense non négligeable, recueillir le butin de Lisbonne.

Les forces alliées des Portugais et des croisés firent le siège de la ville pendant quatre pénibles mois. A peine les derniers survivants maures s'étaient-ils enfuis que les vainqueurs se ruèrent dans la citadelle pour s'emparer des richesses abandonnées. Un siècle plus tard, la reconquête du Portugal était achevée et le roi Alphonse III (1248–1279) faisait de Lisbonne la capitale du pays.

La dynastie d'Aviz

Au XIVe siècle eut lieu la mémorable bataille d'Aljubarrota, à une centaine de kilomètres au nord de Lisbonne. Jean Ier d'Aviz, qui venait d'être proclamé roi du Portugal, libéra

son pays de la tutelle espagnole en battant les troupes castillanes et s'allia à l'Angleterre. Son troisième fils, Henri le Navigateur, allait changer la face du monde!

L'infant Henri fit ses armes à 21 ans, lorsqu'il s'embarqua à Lisbonne pour une expédition audacieuse qui se conclut par la capture du bastion maure de Ceuta, en 1415. Puis, il établit la première école de navigation et organisa de nombreuses expéditions qui repoussèrent les limites de l'horizon. Les caravelles portugaises franchirent l'extrémité occidentale de l'Afrique. La colonisation de Madère et des Açores établit les fondations du futur Empire portugais.

Le roi qui dirigeait le Portugal à l'âge d'or des explorations – et des conquêtes – était Manuel Ier (1495–1521). Les découvertes que connut son règne, ajoutées aux profits que rapportaient déjà les îles de Madère et des Açores et les territoires de l'Afrique occidentale, en firent le monarque le plus riche d'Europe. Il put faire construire des monuments aussi élégants que la Tour de Belém et aussi impressionnants que le monastère des Jerónimos. Le style architectural qui libéra le pays du gothique et lui fit découvrir la Renaissance porte d'ailleurs son nom: touches décoratives d'un flamboyant fantasque, mélange disparate d'éléments exotiques, voilà les traits marquants du style manuélin.

L'expédition la plus remarquable de son époque fut le voyage que Vasco de Gama entreprit au cours de l'été 1497. En franchissant ce que nous nommons actuellement le cap de Bonne-Espérance, le navigateur ouvrait le chemin de l'Afrique orientale et de l'Inde au commerce portugais. En réalité, il venait de découvrir ce que Christophe Colomb avait vainement cherché vers l'ouest – la route maritime orientale des épices. En 1500, la découverte du Brésil par l'explorateur portugais Pedro Álvarez Cabral marqua le début d'une nouvelle époque.

Le temps des épreuves

Alors que l'Espagne du XVIe siècle était déchirée par la chasse aux sorcières, le Portugal accepta l'Inquisition avec plus de modération. A Lisbonne, le premier autodafé n'eut lieu qu'en 1540 et les condamnations d'hérétiques n'atteignirent jamais un nombre considérable. A la fin du siècle – malgré l'Inquisition, les tremblements de terre et une épidémie de peste – la capitale avait attiré un si grand nombre de gens de la campagne que l'on estimait sa population à 100000 habitants.

Ayant pour seules frontières la mer et l'Espagne, le Portugal s'est toujours soucié de ses relations avec son grand voisin. Pourtant, en 1580, le roi d'Espagne, Philippe II, envahit le pays et se fit couronner roi du Portugal. On peut voir, au musée national des Carrosses, la voiture qui le transporta, non sans difficultés mais avec succès, jusqu'à Lisbonne.

Il fallut 60 ans aux Portugais pour organiser un soulèvement efficace contre l'occupant méprisé. Le 1er décembre 1640 – on célèbre toujours ce jour de la Restauration de l'Indépendance –, ils réussirent enfin à rejeter le joug espagnol. Le duc

La Tour de Belém, merveilleux point de repère des premiers navigateurs.

de Bragance fut couronné roi sous le nom de Jean IV, au cours d'une joyeuse cérémonie qui eut lieu sur la grande place du Terreiro do Paço, au bord du fleuve.

Pendant le long règne de son petit-fils, Jean V (1706–1750), le Portugal connut une époque de faste. Les richesses affluaient du Brésil où l'on avait découvert des mines d'or, que le roi consacrait à la construction d'édifices somptueux et à de grands travaux publics. On lui doit le remarquable aqueduc qui alimente toujours en eau le centre de Lisbonne. Son projet le plus fou fut le palais et le monastère de Mafra, situés à 40 kilomètres au nord-ouest de la capitale. Pour ajouter encore à la grandeur de sa cour et de son pays, le pieux roi s'efforça de convaincre le pape de faire de Lisbonne un patriarcat. La ferveur religieuse imprégnait aussi la vie privée de Jean, dont la manifestation la plus connue était, dit-on, un penchant pour les nonnes...

Destruction de Lisbonne

La grande date de démarcation entre l'histoire ancienne et l'histoire moderne du Portugal se situe au milieu du XVIIIe siècle. Le jour de la Toussaint, en l'an 1755, un tremblement de terre ravagea la cité. Des

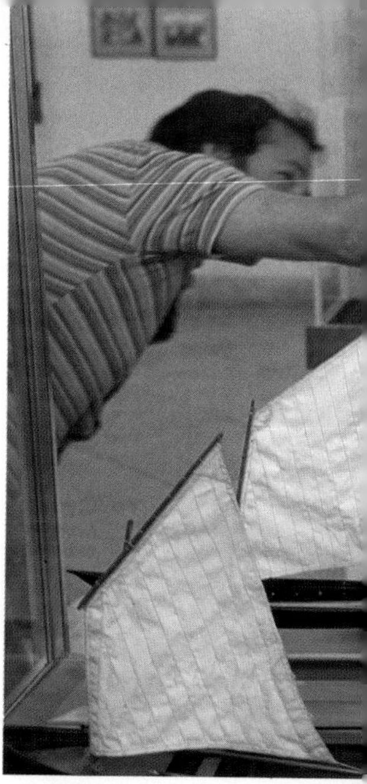

églises, remplies de fidèles, s'écroulèrent; bougies et lanternes renversées provoquèrent de nombreux incendies; et, pour ajouter au cauchemar, un violent raz-de-marée vint recouvrir la ville. Cette triple catastrophe fit périr entre 15000 et 60000 personnes (les sources diffèrent considérablement à ce sujet). Aujourd'hui encore, on peut voir des témoignages de ce désastre en divers endroits. Le plus dramatique se trouve au sommet de la colline

Le musée de la Marine et ses voilures n'émeuvent pas que les enfants.

surplombant la place principale: c'est l'épave d'une église carmélite sans toit, telle que la laissa le sinistre événement.

L'incapable Joseph Ier (1750–1777) qui régnait alors, ne sachant gérer son Etat, n'était guère apte à relever avec succès le défi que constituait la reconstruction. Mais Sebastião José de Carvalho e Mello, ministre solide et ambitieux (plus connu sous le nom de marquis de Pombal) suppléa à la carence du pouvoir et mobilisa toutes les ressources du pays pour réparer les dégâts du violent séisme. Il fit donner nourriture et abris aux survivants, enterrer les morts, dégager les ruines. Puis il mit au point un ambitieux projet de reconstruction de la ville. Aujourd'hui, les quartiers modernes portent le nom de Lisbonne pombaline.

L'œuvre de cet homme d'Etat est commémorée par sa statue héroïque au sommet d'une colonne érigée à l'extrémité nord de l'Avenida da Liberdade. Pombal est le nom familièrement donné à ce carrefour encombré de voitures. Sur la Praça do Comércio, c'est le roi Joseph qui est à l'honneur avec sa monumentale statue équestre, flatteusement élevée de son vivant. Le roi faillit perdre la vie au cours d'une tentative d'assassinat, en 1758. Pombal réagit en instaurant un règne de terreur sans précédent, avec exécutions publiques et répression sans bornes. Joseph mourut de mort naturelle en 1777. Le lendemain même de sa disparition, Pombal était démis de ses fonctions.

Napoléon entre en scène

En 1807, Napoléon exigea du Portugal, resté ouvert au commerce avec l'Angleterre, qu'il rompe son alliance avec elle. En réaction au refus bien prévisible des Portugais, l'armée française attaqua le pays qui, pendant les trois années suivantes, dut supporter l'occupation militaire. Quant à la famille royale du Portugal, elle s'était enfuie au Brésil.

Le général Andoche Junot, qui avait conduit l'armée d'occupation, devint le chef du Portugal. Il eut le bon goût d'installer ses quartiers généraux à Queluz, dans le palais rose entouré de jardins. Pendant des mois, les Lisbonnins subirent l'insulte de voir le drapeau de l'Empire français flotter sur le château Saint-Georges.

Mais, en 1808, à la suite d'erreurs militaires, l'armée de Junot dut amorcer un repli. Au cours des deux années suivantes, des engagements répétés tournèrent à l'avantage des forces alliées portugaises et britanniques qui remportèrent des victoires décisives. Elles doivent beaucoup au talent de stratège d'un vieil allié du Portugal, le duc de Wellington, commandant des troupes britanniques. La célèbre bataille de Torres Vedras, au nord de Lisbonne, marqua le début de la longue et désastreuse retraite des Français. Le dernier poste aux mains de Napoléon fut évacué au printemps 1811.

La guerre civile

Vingt-deux ans après, le pays se trouvait à nouveau en guerre, guerre autrement plus tragique cette fois, puisqu'elle opposait les Portugais entre eux. Dans la lutte pour la succession au trône, Pierre IV, empereur du Brésil, tenta d'arracher la couronne à son frère, Michel Ier, monarque absolu. Pierre remporta la victoire mais, quelques mois plus tard, il mourait de phtisie, à l'âge de 36 ans. Sa fille, l'adolescente Marie II de Bragance, lui succéda. Elle épousa un noble allemand, Ferdinand de Saxe-Cobourg-Gotha, qui lui fit construire l'étonnant palais romantique de Pena, au-dessus de Sintra; elle lui donna cinq garçons et six filles, avant de mourir en couches, à 34 ans.

Si une mort prématurée et tragique emporta de nombreux Portugais de sang royal, l'histoire du pays ne compte qu'un seul régicide. La victime, Charles Ier, fut assassinée le 1er fév. 1908. Comme beaucoup d'autres événements cruciaux, le meurtre eut lieu sur la grande place Terreiro do Paço (Praça do Comércio) de Lisbonne. Charles fut atteint d'une balle, alors qu'il passait en carrosse avec la famille royale. Quelques secondes plus tard, un second conspirateur blessait mortellement son fils et héritier, le prince Louis Philippe. Une troisième balle touchait au bras le jeune prince Manuel, qui devait succéder à son père sous le nom de Manuel II; il fut déposé en octobre 1910, à la suite d'un soulèvement militaire, et la République fut proclamée. Manuel s'enfuit à Gibraltar, puis en Angleterre où il vécut en exil le reste de sa vie.

Lisbonne et ses saints

Le saint préféré de Lisbonne est connu partout ailleurs sous le nom de saint Antoine de Padoue. Ici, dans sa ville natale, il s'appelle saint Antoine de Lisbonne. Il naquit à la fin du XIIe siècle, dans une des maisons qui bordent la rue aboutissant à la cathédrale. Il fut prédicateur, théologien, protecteur des pauvres et des opprimés, et mourut en Italie en 1231.

Le patron officiel de Lisbonne est saint Vincent, martyr du IVe siècle. Le premier roi du Portugal, Alphonse Henriquez, en fit transporter les cendres de l'Algarve dans la capitale. On dit que deux corbeaux escortèrent fidèlement les reliques du saint, ce qui explique qu'à Lisbonne beaucoup de réverbères sont ornés d'un décor en fer forgé représentant un navire, un oiseau en poupe, un autre en proue.

Entrée dans l'Europe moderne

Le gouvernement républicain se montra aussi instable qu'il était nouveau. Démissions, coups d'Etat, assassinats firent se succéder présidents et premiers ministres dans une ronde sans fin. Au milieu des crises politiques et économiques, la nation portugaise ne pouvait guère s'offrir le luxe d'une guerre. Cependant, les menaces que faisait peser l'Allemagne sur ses territoires africains poussèrent, entre autres raisons, le pays aux côtés des Alliés dans la Première Guerre mondiale. Le 24 février 1916, la marine portugaise s'empara d'un groupe de navires allemands ancrés dans l'estuaire

Depuis la «Révolution des Œillets», les murs s'expriment à l'envi!

du Tage et le Kaiser répondit par une déclaration de guerre. Un corps expéditionnaire s'embarqua alors pour combattre sur le front français.

Le poids de la guerre accéléra la fin de la tentative démocratique. Après une révolution en 1926, le général António Óscar Carmona prit les rênes du pouvoir avec fermeté. Deux ans plus tard, il confia l'économie du pays au professeur António de Oliveira Salazar. Dès lors, les finances épuisées connurent un redressement immédiat.

En 1932, Salazar devint Premier ministre. Son régime autoritaire mit l'accent sur le progrès économique. Pendant la Deuxième Guerre mondiale, il maintint le pays dans la neutralité, tout en permettant aux Alliés d'utiliser les Açores comme base. Contrairement à son homologue espagnol Franco, le dictateur portugais évita le culte de la personnalité; jamais son portrait n'apparut sur les pièces et les timbres de son pays.

Malade, Salazar dut abandonner le pouvoir en 1968 et le gouvernement fut confié à l'ancien recteur de l'Université de Lisbonne, Marcelo Caetano. Puis, en 1974, l'armée abattit la dictature au cours de la dramatique «Révolution des Œillets». Depuis, le Portugal s'est défait de ses possessions africaines en rébellion, choisissant de panser ses blessures et d'apprendre à vivre de nouveau en démocratie. Admis dans la Communauté économique européenne en 1986, le pays regarde l'avenir avec une confiance nouvelle.

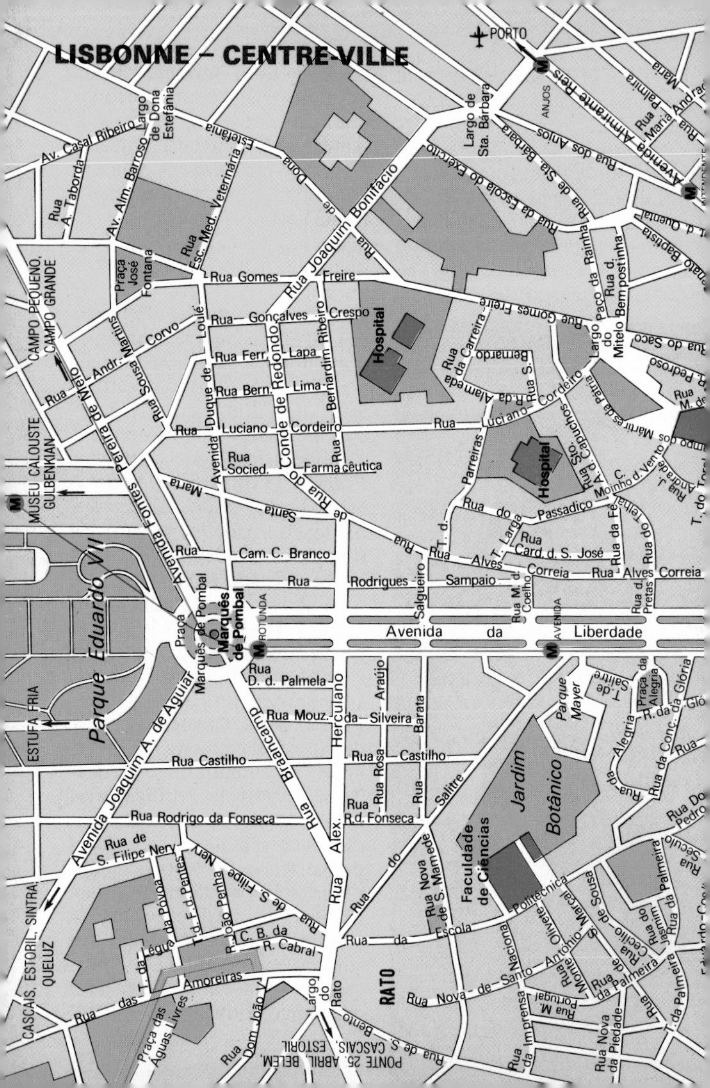
LISBONNE – CENTRE-VILLE
PORTO
ANJOS
Largo de Sta. Bárbara
Rua dos Anjos
Rua de Sta. Bárbara
Avenida Almirante Reis
Rua Maria Andrade
Rua P. Palmira
Rua da Escola do Exército
Rua Joaquim Bonifácio
Rua de Dona Estefânia
Largo de Dona Estefânia
Av. Casal Ribeiro
Av. Alm. Barroso
Rua A. Taborda
Rua Esc. Med. Veterinária
Praça José Fontana
Rua Gomes Freire
Rua Gonçalves Crespo
Rua Ferr. Lapa
Rua Bern. Lima
Rua Bernardim Ribeiro
Rua Conde de Redondo
Avenida Duque de Loulé
Rua Andr. Corvo
Rua Sousa Martins
Rua de Melo
CAMPO PEQUENO, CAMPO GRANDE
Hospital
Rua da Carreira
Rua S. Bernardo
R. da Alameda
Paço da Rainha
Largo do Mitelo
Rua d. Bempostinha
Rua do Saco
Rua Luciano Cordeiro
Mártires da Pátria
Rua Sto. A. d. Capuchos
Rua Parreiras
Rua Sociedade Farmacêutica
Rua de Santa Marta
Rua do Passadiço
Moinho d. Vento
T. Larga
Rua Card. d. S. José
Rua da Fé
Rua do Telhal
Rua Alves Correia
Rua Cam. C. Branco
Rua Rodrigues Sampaio
Rua Salgueiro
Rua M. d. Coelho
Rua d. Pretas
MUSEU CALOUSTE GULBENKIAN
Parque Eduardo VII
ESTUFA FRIA
Avenida Fontes Pereira de Melo
Praça Marquês de Pombal
Marquês de Pombal
ROTUNDA
Avenida da Liberdade
AVENIDA
Rua D. d. Palmela
Rua Mouz. da Silveira
Rua Barata
Rua Araújo
Rua Alex. Herculano
Rua Braamcamp
Rua Castilho
Rua Rosa
Rua Rodrigo da Fonseca
Rua R.d. Fonseca
Salitre
Parque Mayer
T. de Salitre
Praça da Alegria
R. da da Glória
Rua da Conc. da Glória
Jardim Botânico
Faculdade de Ciências
Avenida Joaquim A. de Aguiar
Rua de S. Filipe Nery
Rua de S. Filipe Nery
T. d. F. d. Pentes
Rua João Penha
Rua da Légua da Póvoa
R. C. B. da
R. Cabral
Rua das Amoreiras
Praça das Águas Livres
Rua Dom João V
Largo do Rato
RATO
Rua do Salitre
Rua Nova de S. Mamede
Rua da Escola Politécnica
Rua Nova de Santo António
Rua Nacional da Imprensa
Rua Monte Olivete
Rua Marcal
Rua S. de Sousa
Rua M. Portugal
Rua Cecílio de Sousa
Rua de Palmeira
Rua da Palmeira
Praça do Jasmim
Rua Nova da Piedade
Rua Dom Pedro
Rua Século
Rua de S. Bento
PONTE 25 ABRIL, BELEM, CASCAIS, ESTORIL
CASCAIS, ESTORIL, SINTRA, QUELUZ

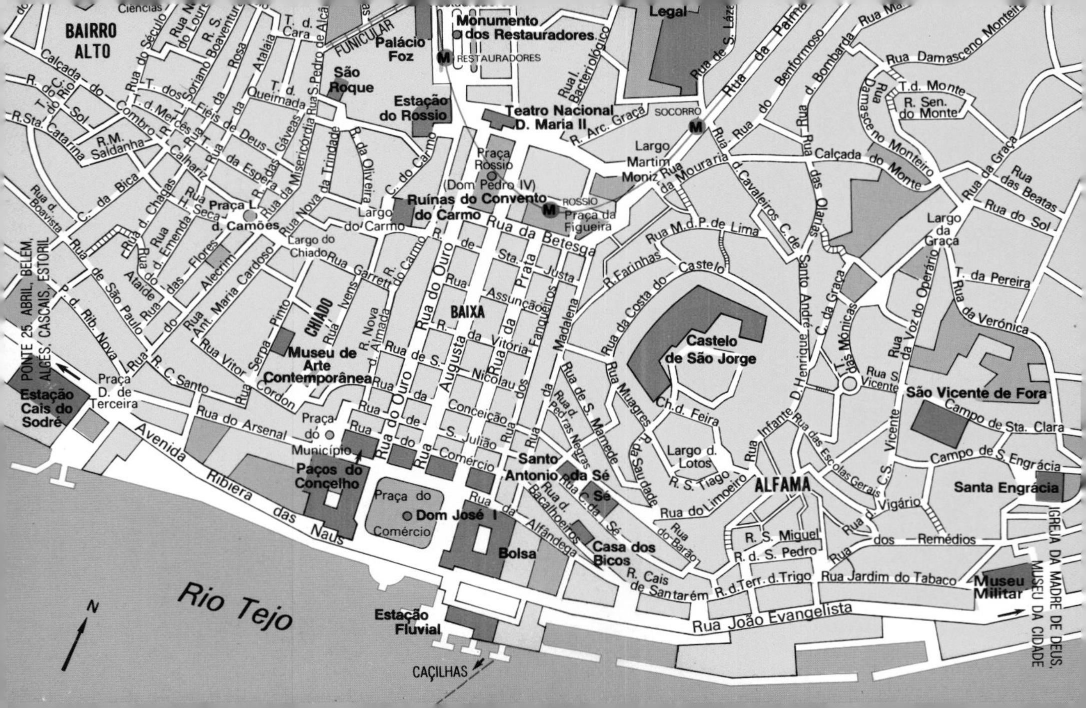
BAIRRO ALTO
Monumento dos Restauradores
RESTAURADORES
Palácio Foz
FUNICULAR
São Roque
Estação do Rossio
Teatro Nacional D. Maria II
SOCORRO
Legal
Praça Rossio (Dom Pedro IV)
ROSSIO
Praça da Figueira
Ruínas do Convento do Carmo
Largo do Carmo
Praça L. d. Camões
Largo do Chiado
CHIADO
Museu de Arte Contemporânea
BAIXA
Castelo de São Jorge
Largo Martim Moniz
Largo da Graça
São Vicente de Fora
Santa Engrácia
ALFAMA
Largo d. Lotos
Santo Antonio da Sé
Sé
Casa dos Bicos
Praça do Comércio
Dom José I
Bolsa
Paços do Concelho
Praça do Município
Praça D. de Terceira
Estação Cais do Sodré
Estação Fluvial
CAÇILHAS
Museu Militar
IGREJA DA MADRE DE DEUS, MUSEU DA CIDADE
PONTE 25. ABRIL, BELEM, ALGES, CASCAIS, ESTORIL
Rio Tejo
N
Rua da Betesga
Rua Augusta
Rua do Ouro
Rua da Prata
Rua Garrett
Rua do Arsenal
Avenida Ribiera das Naus
Rua João Evangelista
Rua Jardim do Tabaco
Rua da Madalena
Rua de S. Mamede
Rua das Olarias
Rua da Mouraria
Rua da Palma
Calçada do Monte
Rua da Graça
Rua do Sol
Rua das Beatas
Rua da Verónica
Rua da Voz do Operário
Rua de São Paulo
Rua da Misericórdia
Rua Nova da Trindade
Rua da Costa do Castelo
Rua Muagres
R. da Saudade
Rua do Limoeiro
Rua dos Remédios
Rua da Alfândega
Rua Infante D. Henrique
Rua das Escolas Gerais
Campo de Sta. Clara
Campo de S. Engrácia

Que voir

Lisbonne longe le Tage en arc de cercle sur près de 30 kilomètres. On peut se déplacer rapidement et à peu de frais en empruntant les transports publics – rien ne vaut le spectacle du haut d'un autobus à impériale. Pour de courts trajets, les tramways sont pratiques. Les funiculaires escaladent les pentes abruptes. Le métro – souterrain ou aérien – est moderne et rapide, mais ne dessert qu'une zone limitée. Quant aux taxis, ils sont nombreux et d'un coût très modéré. Si les encombrements sont moins aigus ici que

dans beaucoup d'autres capitales, il n'en est pas moins préférable d'éviter le centre aux heures d'affluence.

A votre arrivée, pourquoi ne pas vous joindre à une ou deux visites guidées: c'est un excellent moyen de se familiariser avec la configuration d'une ville. Ensuite, vous serez plus à l'aise pour aller votre chemin.

Notre programme de sites à voir commence au bord de l'eau sur une élégante place du XVIIIe siècle.

Pourquoi se rendre au parc (Eduardo VII), quand on peut papoter tout son soûl sur une marche d'escalier.

Le centre

La **Praça do Comércio** (place du Commerce) est une des rares curiosités réellement grandioses de cette ville. Avant le tremblement de terre de 1755, elle s'appelait Terreiro do Paço (place du Palais) nom qu'on lui donne toujours familièrement. De majestueuses arcades roses bordent cette immense place sur trois côtés; le quatrième est ouvert sur le port, avec un escalier de style vénitien qui descend jusqu'au Tage. De nos jours, le fourmillement des voitures, des bus et des taxis en atténue l'effet majestueux.

La **statue équestre** de l'homme coiffé d'un casque à panache est celle du roi Joseph Ier, protecteur du marquis de Pombal, le grand urbaniste qui conçut le plan de la place. Au nord, un arc de triomphe, autre ornementation monumentale, relie entre eux des bâtiments administratifs.

Par cet arc, on découvre l'étendue de la Rua Augusta, artère principale de ce quartier du XVIIIe siècle, d'une ordonnance rectangulaire rigide. Les critiques trouvent monotones tous ces édifices de même structure, bien que des décors originaux en rompent çà et là la sévérité. Après la catastrophe de 1755, tous les immeubles de

cette quinzaine de rues furent reconstruits de façon à résister à tout séisme. Ce quartier s'appelle **Baixa,** ou terre basse. Il abrite un grand nombre de banques, magasins, petits restaurants et salons de thé.

L'extrémité de la Rua Augusta donne sur la place principale de Lisbonne, le **Rossio.**

Dans le quartier du Rossio, le temps ne compte pas pour les cinéphiles en mal de distraction; ici, les cinémas d'antan font toujours recette.

C'est là qu'autrefois on brûlait les sorcières et que l'on assistait aux corridas. Aujourd'hui, on y vient pour rencontrer des amis, faire du lèche-vitrines, prendre un café tout en contemplant la foule avec, en fond sonore, le ruissellement des fontaines et les clabauderies des vendeurs de journaux.

Sur la place, une statue érigée au sommet d'une immense colonne représente Pierre IV du Portugal (qui régna de 1826 à 1834), premier empereur du Brésil. Une légende tenace prétend qu'il ne s'agit pas du tout de lui, mais de la statue de son infortuné contemporain, l'empereur Maximilien du Mexique, acquise à peu de frais dans une liquidation!

La gare de banlieue du Rossio ressemble, à première vue, à un palais mauresque. En réalité, c'est une ultime tentative romantique de la fin du XIXe siècle, dont on a qualifié le style de néo-manuélin.

Le Rossio touche une autre grande place, la Praça da Figueira, ce qui est parfois source de confusion. Celle-ci s'étale autour d'une statue équestre du roi Jean Ier, fondateur de la maison d'Aviz.

Une fois revenu sur le Rossio et dépassé le Teatro Nacional, on se trouve devant un obélisque d'une rectitude parfaite annonçant la Praça dos Restauradores; il commémore la fin de la domination espagnole en 1640. En face du splendide palais (Palácio Foz), qui se situe sur le côté occidental de la place, se dresse le principal bureau de poste de la capitale lusitanienne.

L'**Avenida da Liberdade,** aux belles proportions, commence sur cette place et grimpe la colline sur près de 2 kilomètres. Entre ses fontaines, ses statues, ses jardins fleuris et ses bassins sont installés des bancs qui permettent d'admirer tranquillement les palmiers et la mosaïque des trottoirs. L'avenue prend fin au rond-point appelé Praça Marquês de Pombal où se dresse la statue du dictateur observant ses travaux (accompagné d'un lion féroce). Au-delà, le Parque Eduardo VII, tiré au cordeau, prolonge la ligne de la colline. Avec ses pelouses et ses bouquets d'arbustes bien soignés, il forme un ingénieux pendant à l'avenue. De chaque côté, s'étendent bois et jardins informels.

Du côté nord-ouest, on découvre le triomphe des richesses botaniques de Lisbonne, la **Estufa Fria** (serre froide), véritable forêt tropicale au cœur même de la capitale. Plantes et fleurs d'Afrique, d'Asie et d'Amérique latine vivent à leur aise sous le ciel lisbonnin grâce à un simple système de toits et de parois mobiles qui les protège des humeurs du temps. Entre des points d'eau et des cascades romantiques poussent des bananiers aux fruits appétissants – mais hélas inaccessibles. Une grande serre classique abritant des plantes et des arbres plus délicats a été récemment ajoutée. L'ensemble est entouré d'un jardin en plein air où est exposée toute la flore locale.

La vieille ville

Si chaque colline de la ville (ou presque) a son *miradouro* (belvédère), le plus beau point de vue appartient au vieux châ-

Les verrières de l'Estufa Fria se reflètent dans un univers exotique de bassins où les nénuphars prennent le temps d'éclore pour un flamant rose.

teau de Lisbonne. Du **Castelo de São Jorge** (château Saint-Georges) en effet, on domine toute la cité, le fleuve et les terres qui s'étendent au-delà de la rive sud.

C'est ici que les Romains édifièrent les premiers remparts, il y a deux millénaires. Les Musulmans, maîtres du Portugal à partir du VIIIe siècle, surent s'y maintenir

Les pigeons, en selle avec le roi Jean Ier, cavalcadent vers le château Saint-Georges... pas besoin pour autant de piétiner mes poupées!

longtemps avant d'en être délogés en 1147. Les nouveaux propriétaires étendirent les fortifications, mais les tremblements de terre et l'usure du temps ont laissé peu de parties intactes. Un sérieux programme de restauration a insufflé une vie nouvelle aux ruines: citadelle et château, remparts et tours racontent à nouveau leur longue et parfois triste histoire.

Outre les vues spectaculaires qu'offre une promenade sur ses murs d'enceinte, le château mérite une visite, ne serait-ce que pour son parc: des bandes d'oiseaux s'y pavanent en maîtres ... pigeons, moineaux,

paons, faisans, flamants, pélicans, cygnes, oies, canards...

Lisbonne compte des dizaines d'églises d'une réelle valeur historique ou artistique, dont la visite réclamerait de longues heures de marche. Nous avons préféré ne mentionner que les plus originales. Celle de **São Vicente de Fora** (Saint-Vincent-Hors-les-Murs), avec ses tours jumelles, se dresse au sommet d'une colline, à l'est du château. Reconstruit au XVIe siècle, cet édifice a su allier masse et élégance.

Le style en est très italien, depuis les statues de saints occupant les niches de la façade jusqu'à l'autel baroque. L'architecte italien Filippo Terzi se serait, dit-on, inspiré de l'église du Gesù à Rome. L'intérieur – avec une seule nef en berceau – présente des lignes pures et vigoureuses.

A droite, lorsqu'on fait face à l'autel, une lourde porte de bois conduit au cloître. Quelle surprise! Les murs en sont recouverts d'*azulejos,* carreaux de faïence vernissés bleus et blancs, représentant des scènes de la vie et des loisirs dans la France du XVIIIe siècle et illustrant les *Fables* de La Fontaine. Le frivole cède le pas au solennel, à l'extérieur du cloître, avec le panthéon renfermant les tombeaux de la famille royale de Bragance.

Derrière l'église, sur le Campo de Santa Clara, se tient un **marché.** La *Feira da Ladra* a lieu le mardi et le samedi. A côté des étalages de bleus de travail et d'ustensiles, les collectionneurs d'objets anciens pourront découvrir, sinon une pendule de valeur, quelque fer à repasser rouillé.

En bas de la colline, se trouve l'église de **Santa Engrácia,** grandiose édifice en marbre dont la haute coupole rappelle le dôme des Invalides. La construction fut commencée au XVIIe siècle, mais, pour diverses raisons, ne fut achevée qu'en 1966. Aussi, à Lisbonne, pour définir un ouvrage dont on ne voit pas la fin, le compare-t-on «aux travaux de Santa Engrácia». Dans la somptueuse rotonde (un ascenseur mène à la base de la coupole), un panthéon est consacré aux grands hommes de l'histoire du Portugal.

Beaucoup de vieilles cités se sont formées autour de leur cathédrale. Pas Lisbonne. Nullement mise en valeur par un parvis, la **Sé** (cathédrale) vous apparaîtra tout à coup au tournant d'une rue. Cet impressionnant édifice médiéval possède une grande valeur historique et artistique.

Conçue comme une église fortifiée, elle vit le jour au XIIe siècle; les tours et les murs à meurtrières font encore penser à une citadelle. Des tremblements de terre l'endommagèrent sérieusement aux XIVe, XVIe et XVIIIe siècles et les réparations successives lui ont ajouté des touches romanes, gothiques, voire baroques. Souvenir du XVIIIe siècle, les orgues ont conservé toute leur sonorité.

Dans une chapelle du chœur, on peut voir deux **tombeaux** du XIVe siècle à la note sentimentale. Les gisants représentent un vieillard barbu, Lopo Fernandes Pacheco, la main à l'épée, son chien favori à ses pieds; à côté, sa seconde épouse, un livre de prières à la main, est entourée de trois chiens fidèles.

Les amateurs de vieilles pierres pourront demander à pénétrer dans le **cloître** du XIIIe siècle, inspiré de celui d'Alcobaça, où le grand tremblement de terre a laissé sa trace. Ils y verront des fragments de colonnes, des statues et des inscriptions des époques pré-romane et romane. Remarquez la grille en fer forgé richement décorée de motifs mauresques et romans qui ferme l'une des chapelles adjacentes.

Plus bas, à quelques pas du portail central de la cathédrale, l'église Santo António da Sé célèbre son enfant chéri, saint Antoine de Padoue – appelé ici saint Antoine de Lisbonne – né en 1195. Selon la légende, la crypte se trouverait à l'endroit même où s'élevait sa maison. Parmi ses nombreuses attributions, saint Antoine est le patron des jeunes filles à la recherche d'un fiancé; on peut voir quelquefois de touchants ex-voto sous la forme de bouquets de mariées devant l'autel de la cathédrale qui lui est consacré.

Entre l'église et la rive du Tage, un vieil édifice mérite aussi un coup d'œil. La **Casa dos Bicos** (maison des Pointes), construite au début du XVIe siècle, appartenait à la famille du duc d'Albuquerque, vice-roi de l'Inde portugaise. Sa façade est formée de blocs de pierre taillés en pointe comme des diamants. La Rua dos Bacalhoeiros (rue des Morutiers) où elle est située, est bordée de charmantes boutiques qui vendent bouchons, sacs de toile, boîtes de sardines ou de thon...

Et nous voilà de nouveau au bord du fleuve, sur la Praça do Comércio. Une ville où le cri des mouettes vous accueille à la porte d'honneur ne peut qu'être haute en couleur.

Alfama

Tous les visiteurs sont d'accord pour dire que c'est le quartier le plus fascinant de Lisbonne, avec son labyrinthe de rues, d'escaliers et de venelles qui font tant de détours pour ne mener nulle part. Alfama est un chaos de maisons branlantes aux fenêtres disjointes, d'étals de poissons et de bars, où les rues sont pavoisées de linge qui sèche, et où règne le sentiment que rien n'a changé depuis le Moyen Age.

Il est inévitable que l'on s'y perde. Même le nez dans une carte et muni d'une boussole, on se perdrait encore. Alfama est le cauchemar du cartographe, avec ses voies qui se chevauchent et finissent en impasses.

La seule solution est de visiter Alfama à l'aventure. Mais ne quittez pas les rues étroites, car une voie assez large pour permettre le passage d'une voiture et d'un piéton est signe que vous êtes sorti du «dédale».

On peut commencer la visite de ce quartier en son extrémité sud – sur le Largo do Chafariz de Dentro ou le Largo do Terreiro do Trigo. Mais il est plus facile de partir du sommet, du Largo do Salvador ou du Largo das Portas do Sol, car les lois de la pesanteur vous ramènent alors inévitablement au fleuve.

Voici quelques-unes des curiosités les plus intéressantes d'Alfama. Vous aurez peut-être la chance de les découvrir au hasard, derrière un porche ou au tournant d'une ruelle. Si elles se sont dérobées une première fois, revenez sans hésitation car chaque nouvelle visite réserve des surprises sur les mystères, les bruits, les odeurs de ce vieux quartier.

Rua de São João da Praça: c'est par cette brèche de l'enceinte maure que le premier roi du Portugal, Alphonse Ier, pénétra dans la ville en 1147.

Igreja de São Miguel (église Saint-Michel): construite au XIIe siècle, restaurée au XVIIIe siècle, elle possède un superbe plafond en jacaranda du Brésil. L'intérieur est sombre mais demandez au gardien d'allumer les lampes pour que vous puissiez admirer le retable doré de style rococo.

Beco da Cardosa: c'est une ruelle ramifiée de petites impasses, l'essence même des plaisirs qu'offre pêle-mêle Alfama.

Igreja de Santo Estêvão (église Saint-Etienne): elle fut bâtie au XIIIe siècle sur un plan

Il est bien agréable de s'égarer dans le dédale des ruelles d'Alfama.

octogonal, et reconstruite à plusieurs reprises au cours des siècles. Le chevet de l'édifice en saillie affleure le portail d'un vieux palais.

Beco do Carneiro (venelle des Moutons): les vieilles maisons s'inclinent l'une vers l'autre par-dessus cette rue en escalier, si étriquée que deux hommes ne pourraient s'y tenir côte à côte. Ce n'est pas un effet de perspective: si on lève les yeux, on voit les pignons se toucher!

Rua de São Pedro: c'est la rue commerçante la plus bruyante d'Alfama, trop étroite pour que les voitures y pénètrent. Les légumes et les fruits vendus ici sont moins chers qu'au centre de la ville; la rue est pleine des cris des poissonnières et fourmille d'enfants, de chiens et de poules.

Largo de São Rafael: vous y verrez les ruines d'une tour qui faisait partie des défenses maures dont les chrétiens vinrent à bout en 1147.

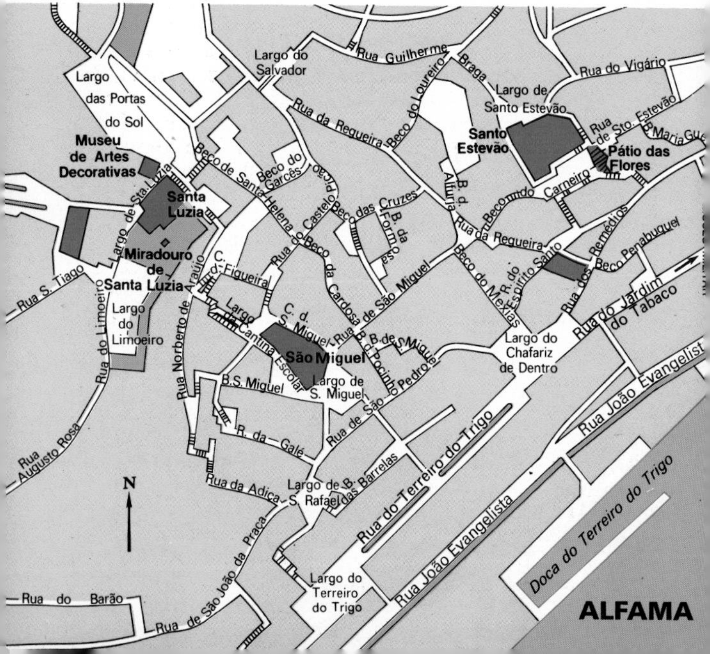

Bairro Alto

Comme Alfama, le Bairro Alto (quartier haut), construit sur une colline, est un ensemble évocateur de vieilles maisons aux balcons de fer forgé couverts de cages à oiseaux et de pots de fleurs. La nuit, ses restaurants très animés et ses cabarets de *fado* attirent les visiteurs. On y trouve aussi des bars-discothèques fréquentés par une clientèle de marins et autres aventuriers en quête de distractions «pour adultes».

Quel que soit votre but, la manière la plus facile d'atteindre le Bairro Alto est de prendre l'extravagant **funiculaire** jaune sur la Praça dos Restauradores: le billet coûte une bagatelle. Mais, pour ceux dont la bourse est vide ou qui ont besoin d'un peu d'exercice, le trajet à pied n'est pas insurmontable.

Au sommet, la municipalité a fait construire une **terrasse panoramique** appelée Miradouro de São Pedro de Alcântara. Si, de cette hauteur, on n'aperçoit qu'une étroite bande du fleuve, on peut en revanche admirer le château Saint-Georges, juste en face, de l'autre côté de la vallée.

Dans ce quartier, deux églises originales méritent d'être visitées. La **Igreja de São Roque** (église Saint-Roch) se situe dans le Largo Trindade Coelho. En dépit d'un extérieur quelque peu décevant – la façade d'origine, du XVIe siècle, s'écroula le jour du tremblement de terre –, l'intérieur renferme les chapelles les plus somptueusement décorées de Lisbonne. Deux d'entre elles sont d'un baroque si compliqué, qu'on imagine mal des anges voler au milieu d'une telle profusion de tourbillons dorés. Quant à la chapelle de São João Baptista (Saint-Jean-Baptiste), à gauche, c'est un trésor de pierres et de métaux précieux: or, bronze, améthystes, agates, lapis-lazuli, ivoire et marbre de Carrare. En 1742, le roi Jean V en fit la commande à Rome où des équipes d'artistes et d'artisans travaillèrent cinq ans à son exécution. Une fois béni par le pape, le monument fut démonté et, incroyable chef-d'œuvre préfabriqué, envoyé au Portugal en pièces détachées.

Le long de l'église, le Museu de Arte Sacra (Musée d'art sacré) renferme une collection de précieux reliquaires, de bijoux et de vêtements sacerdotaux finement ouvragés.

En bas de la colline, on tombe sur la **Igreja do Carmo** (église du Carmo), dont les souvenirs forment maintenant

CML

la seule richesse. Elle fut construite au XIVe siècle. L'herbe pousse à l'intérieur de cette carcasse qui fut l'une des plus grandes églises du Portugal. On peut contempler le ciel à travers les arcs et imaginer la tragédie de 1755, lorsque le tremblement de terre secoua les piliers de l'édifice et fit s'écrouler le toit sur toute une congrégation de fidèles.

Dans la partie qui a conservé son plafond a été installé un modeste musée archéologique, qui présente, un peu pêle-mêle, poteries préhistoriques, sculptures romaines et tombeaux de l'époque lusitanienne. Vous y verrez aussi quelques momies dans des vitrines.

Ensuite, pour rejoindre rapidement le centre-ville, prenez l'**Elevador de Santa Justa,** construit par l'illustre Gustave Eiffel. Inauguré en 1901, cet ascenseur fonctionnait à la vapeur, à l'origine. Haut de 30 mètres, il représente une curiosité par lui-même.

Mais le chemin le plus long jusqu'au bas de la colline serpente à travers le quartier du **Chiado,** dans les rues duquel, pendant des siècles, se sont regroupées les boutiques les plus élégantes de la capitale ainsi que les meilleurs salons de thé et les pâtisseries les plus fines. Hélas, en 1988, un gigantesque incendie ravageait tout ce secteur. Ce serait le pire désastre ayant frappé Lisbonne depuis 1755. Deux des plus vieux grands magasins d'Europe ont ainsi disparu dans les flammes.

Pour voir le Rossio de haut, un extravagant ascenseur victorien.

A la gloire d'un poète

Comme son contemporain espagnol Cervantès, la plus grande figure littéraire du Portugal connut aussi la prison, la guerre et la souffrance.

Luís Vaz de Camões (1524–1580) – Camoens en français – perdit l'œil droit au cours de la conquête du comptoir nord-africain de Ceuta. En 1558, il fit naufrage au large des côtes de l'Indochine et se sauva à la nage en tenant d'une main, au-dessus des flots, le manuscrit de son œuvre immortelle: *Les Lusiades.* Ce long poème, construit à la façon d'une épopée homérique, raconte l'histoire des explorateurs portugais.

Après sa mort, qui le trouva presque dans la misère, sa renommée grandit, comme celle de sa poésie. Des sonnets posthumes – plus ou moins apocryphes – firent plus que tripler le nombre des œuvres publiées de son vivant.

Belém

A vol de mouette, Belém (Bethléem en portugais) est situé à 6 kilomètres environ, à l'ouest de la Praça do Comércio de Pombal. Ce faubourg de Lisbonne possède aussi de nombreux monuments et musées. Une bande du fleuve a été asséchée pour former des jardins et des marinas. Si la rive est méconnaissable, c'est pourtant bien de cet endroit que partirent les grands navigateurs portugais du XVe et du XVIe siècle, à la recherche de terres inconnues.

Commençons la visite de ce quartier par le **Museu Nacional dos Coches** (musée national des Carrosses), situé dans la partie de Belém la plus proche du centre-ville. Il occupe, à juste titre, l'ancienne école d'équitation du palais Royal de Belém. Dans deux grands halls sont exposées des douzaines de voitures à cheval, pour la ville, les défilés ou les rudes voyages à travers la campagne, témoins de plus de quatre siècles d'histoire européenne. L'exposition commence avec un monstre du XVIe siècle dans lequel, en 1580, Philippe II d'Espagne se

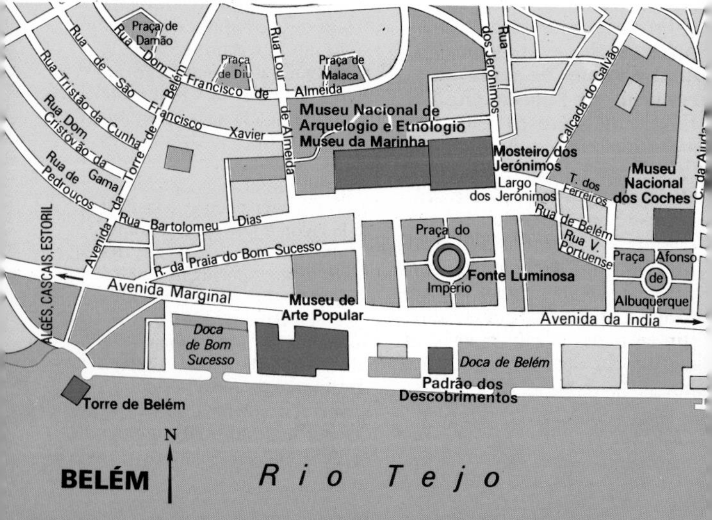

fit transporter en triomphe – et sûrement sans confort – jusqu'au Portugal sur lequel il venait d'étendre sa domination. Les plus somptueux sont les trois carrosses dorés, et décorés de sculptures allégoriques que les ambassadeurs portugais utilisèrent à Rome au début du XVIIIe siècle pour impressionner le pape Clément XI. Chaque voiture illustre la difficile et lente évolution de la technique, jusqu'au carrosse royal vernissé du XIXe siècle, encore digne de figurer dans un cortège princier. Dans ce musée, qui possède la plus grande collection du monde de carrosses, rien n'a été négligé – pas même les accessoires, depuis l'éperon du cavalier jusqu'à la trompe du cocher.

En continuant son chemin vers l'ouest, dans la Rua de Belém, on arrive à l'édifice religieux le plus important et le plus remarquable de Lisbonne, le **Mosteiro dos Jerónimos.** Ce monastère fut fondé par le roi Manuel Ier pour commémorer la découverte de la route maritime de l'Inde. La catastrophe de 1755 a fait disparaître le bâtiment conventuel, mais il est heureux que l'église et le cloître aient été épargnés. Tous deux sont un témoignage émouvant de la foi et du goût du XVIe siècle.

L'immense façade sud, parallèle au Tage, est admirable. Presque partout la pierre calcaire est lisse, mais lorsque les ornements apparaissent, c'est un éclat de joie. Le portail principal, avec ses décors compliqués, est une merveille du travail de la pierre. A l'intérieur de l'église, les piliers sculptés de motifs de l'époque manuéline donnent un sentiment de hauteur et d'espace infinis. La construction de l'édifice fut d'abord confiée à l'architecte français Boytac, auquel succéda le Portugais João de Castilho.

Malgré l'obscurité qui règne habituellement, on arrive à distinguer plusieurs tombeaux royaux que soutiennent d'imposants éléphants sculptés, étrange hommage aux merveilleuses découvertes de l'Orient.

Près de la porte ouest se trouvent les sépultures de style néo-manuélin de deux autres titans de l'âge d'or du Portugal, Vasco de Gama et le poète Luís de Camões.

Une fois dehors (ne manquez pas les superbes sculptures, exécutées par le Français Chanterène, qui entourent le portail ouest), il faut tourner à droite pour rejoindre le cloître, édifice élancé à un étage, de proportions très originales. A chaque pas, on a l'impression que les dimensions du lieu se modifient. C'est le résultat d'un habile agencement des intersections d'angles et d'arcs. De plus, chaque pilier est différent.

On revient à la réalité lorsqu'on aborde la partie occidentale du monastère. Restaurée, elle renferme maintenant le **Museu Nacional de Arqueologia e Etnológia** (Musée national d'archéologie et d'ethnologie) où est exposée la collection complète des vestiges portugais – outils et bijoux primitifs et de magnifiques sculptures et mosaïques de l'époque romaine.

A l'ouest du musée se trouve le planétarium, autre attraction didactique, à la création duquel contribua l'omniprésent bienfaiteur du Portugal, Calouste Gulbenkian.

A côté, le **Museu da Marinha** (musée de la Marine) devrait intéresser tous ceux que passionnent l'histoire et la mer, puisqu'il retrace l'histoire de la navigation, depuis les premières caravelles jusqu'aux bateaux de guerre et aux transatlantiques modernes. La pièce la plus étonnante représente un brigantin ou une galiote, avec 80 rameurs en veste rouge, construit en 1785 pour célébrer un mariage royal.

Entre le monastère et le fleuve s'étend un grand jardin. La Fonte Luminosa (fontaine lumineuse), que l'on peut faire fonctionner, est un festival de lumières et de couleurs – le spectacle dure 45 minutes.

Le moderne **Padrão dos Descobrimentos** (monument des Découvertes) s'avance sur le Tage comme une caravelle sur la crête d'une vague. En proue, se dresse l'infant Henri le Navigateur, portant comme toujours son amusant chapeau rond. Derrière lui, et de part et d'autre du grand mât, s'élèvent les statues des célèbres explorateurs, cartographes, astronomes, chroniqueurs et autres savants dont il s'entoura à l'époque des folles conquêtes.

Une rose des vents et une carte du monde encastrées dans le sol montrent l'étendue phénoménale des voyages entrepris à cette époque fastueuse du Portugal – depuis les Açores et le Brésil jusqu'à l'Inde et Macao.

Dans cette zone en bordure du fleuve, il faut aussi mentionner le **Museu de Arte Popular** (Musée d'art populaire) qui offre un panorama de l'art et des coutumes des diverses provinces du Portugal. On peut y

Au Mosteiro dos Jerónimos, les multiples détails de style manuélin captent l'attention de tous.

voir une foule de beaux tissus, meubles, broderies, jouets et poupées.

Et, pour finir, voici la **Torre de Belém.** En la découvrant après un voyage long d'un ou deux ans, les navigateurs fatigués devaient ressentir une vive émotion. Elle est d'une grâce et d'une originalité merveilleuses.

En se promenant dans le jardin, le long du fleuve, on mesure toute la poésie de cette forteresse aux ornements finement sculptés. Une fois franchies les douves, on se croirait au XVIe siècle. La façade qui donne sur le Tage est la plus belle avec sa charmante loggia.

Un écrivain portugais du XIXe siècle, Ramalho Ortigão, reconnaissait que la tour, du point de vue militaire, n'avait aucune valeur stratégique, mais il lui en trouvait une secrète: «la seule arme défensive dont la Tour de Belém peut user contre l'ennemi est sa beauté».

Monuments et points de vue

Voici quelques monuments que l'on peut voir de maints endroits, et certains sites d'où vous les apprécierez le mieux.

Le **Ponte 25 de Abril** remplit trois fonctions: c'est un grand ouvrage d'art, un point de vue, et un moyen d'atteindre d'autres ouvrages d'art et points de vue. Ce pont suspendu, le plus long d'Europe, fut ouvert à la circulation en 1966 et baptisé en l'honneur du dictateur portugais. Après la révolution de 1974, le nom de «Salazar» fut supprimé et pendant assez longtemps les Lisbonnins, faute de mieux, se contentèrent de l'appeler «le pont». Finalement, on lui attribua la date de la révolution, le 25 avril.

Ni Henri le Navigateur, ni l'audacieux pont ne troublent les pêcheurs.

Si cette construction sur le Tage ne représente pas le sommet de l'élégance, le panorama qu'elle offre est très impressionnant.

Sur la rive sud se dresse une variante du **Christ-Roi,** symbole de Rio de Janeiro. Haute de 28 mètres, cette statue repose sur un socle. La base du monument abrite une église, le Santuário de Cristo-Rei. Il faut monter par l'ascenseur jusqu'à la terrasse pour observer le magnifique **panorama** circulaire sur l'estuaire, le pont, la capitale et les terres du sud.

Pour se rendre jusqu'à la statue, on a le choix entre faire le chemin en voiture ou traverser le fleuve sur un **bac,** de la Praça do Comércio à Cacilhas. De là, on prend un taxi ou un autobus indiquant *Cristo-Rei.* En bateau, on a l'avantage de découvrir le spectacle passionnant du port où évoluent paquebots, pétroliers, cargos, navires de guerre et remorqueurs. C'est l'ultime vision que le pêcheur a de Lisbonne. C'est de là que partent les bateaux de la marine marchande, vers les anciennes colonies portugaises – de Rio de Janeiro à Maputo – et partout où conduisent les routes de la mer.

Au retour de Cacilhas, il arrive qu'on se trompe de bac. Ce n'est pas grave car l'autre navette mène à Cais do Sodré, situé à quelques centaines de mètres à l'ouest de la Praça do Comércio. On y voit notamment la gare ferroviaire qui assure la liaison avec Estoril et Cascais. Dans cette banlieue maritime, les magasins vendent des ancres grandeur nature, des boussoles, des bouées de sauvetage, des appareils de transmission – tout un équipement nautique très sérieux qui bien sûr n'intéresse pas les navigateurs du dimanche. C'est aussi dans ce faubourg que se tient le plus grand **marché** du Portugal, appelé Mercado da Ribeira, où travaillent plus de mille personnes. Des hommes au bonnet rembourré portent sur la tête de lourds paniers d'osier remplis de fruits et de légumes. Comme il s'agit d'un marché de gros et de détail, il se passe toujours quelque événement haut en couleur, de 2 h. du matin à 7 h. du soir. Mais c'est avant le déjeuner qu'on en apprécie le mieux l'atmosphère.

Le monument le plus grand de Lisbonne ne cessera d'apparaître dans votre champ de vision, où que vous soyez, à l'intérieur comme à l'extérieur de la ville. Cela ne surprend plus lorsqu'on sait qu'il mesure un kilomètre de long. L'**aqueduc** de Águas Livres peut rappeler

Ici, on ne peut guère oublier le passé colonial de l'Empire portugais.

la Rome antique, mais il s'agit d'un exploit du génie civil plus récent: c'est en 1748, en effet, que l'eau commença à alimenter les fontaines du centre de la capitale, comme elle continue de le faire aujourd'hui.

L'aqueduc et l'autoroute traversent le parc le plus vaste de Lisbonne, le **parc Monsanto,** sur les flancs onduleux duquel prospèrent eucalyptus, cyprès, cèdres et chênes. Outre le calme, le bon air et la beauté qui le caractérisent, ce parc offre de nombreux agréments: terrains de sport, bars, restaurants. Le camping municipal qu'il abrite est un des plus jolis et des mieux organisés d'Europe. Enfin, ce parc compte quelques remarquables *miradouros* (points de vue) sur la ville et l'estuaire.

Un dernier belvédère mérite une mention spéciale: le **Miradouro de Santa Luzia,** en bordure du quartier d'Alfama. D'une terrasse ornée de carreaux de faïence, on surplombe un charmant enchevêtrement de toits de tuiles. Dans le jardin qui l'entoure, des retraités en béret noir prennent le soleil et

jouent aux cartes. Admirez les deux remarquables *azulejos* du mur, face au mirador. L'un représente la rive du Tage à Lisbonne, telle qu'elle existait avant le tremblement de terre. L'autre dépeint, avec maints détails sanglants, la déroute des Maures du château Saint-Georges, en 1147.

Principaux musées

Le musée le plus étonnant de Lisbonne fut créé pour réunir les milliers d'œuvres d'art de la collection du milliardaire arménien, Calouste Gulbenkian, qui mourut à Lisbonne en 1955. Il avait des goûts bien arrêtés et il était prêt à mettre le prix pour les satisfaire. Dans les ventes aux enchères, il fut sans doute la terreur des conservateurs de musées.

La collection du **musée Gulbenkian** commence, en ordre chronologique, par des céramiques et des sculptures égyptiennes datant de 2700 av. J.-C. Ces pièces sont d'une telle rareté et dans un tel état de conservation, qu'on en est abasourdi. La magnifique statue du juge Bes est couverte de hiéroglyphes permettant de la situer à l'époque du pharaon Psammétik Ier (VIIe siècle). Des statuettes en bronze représentant des chats et leurs petits sont d'un réalisme étonnant.

Il n'est pas nécessaire d'être connaisseur en numismatique pour admirer la collection de pièces d'or et d'argent de la Grèce antique. L'une d'elles

Peut-on longer le Largo de Santa Luzia sans en admirer les azulejos?

datant du VIe siècle av. J.-C. a même été frappée par Crésus, cet amoureux du métal jaune.

Une grande partie de ce musée est consacrée à l'art islamique d'Orient – tissus, tapis et costumes anciens très rares, céramiques, verrerie et version enluminée du Coran. A travers les baies vitrées, vous admirerez les très beaux jardins au dessin parfait dont est entourée la galerie.

La vision de l'art européen proposée par Gulbenkian commence au XIe siècle avec des manuscrits en parchemin enluminés. D'exquises sculptures en ivoire, d'origine française et datant du XIVe siècle, représentent des scènes religieuses. On verra aussi des tapisseries en excellent état qui furent fabriquées dans les ateliers italiens et flamands du XVIe siècle.

Gulbenkian se devait d'acquérir deux Rembrandt: l'un représente un guerrier casqué que l'on croit être Pallas Athéna, et le second, *Un Vieil Homme.* Ces deux tableaux sont entourés d'autres chefs-d'œuvre d'artistes hollandais et flamands de la même époque.

L'art français du XVIIIe siècle est brillamment illustré par une collection de meubles, tapisseries et orfèvrerie, sans oublier des peintures de Watteau et de Fragonard. L'art britannique est représenté notamment par des œuvres de Gainsborough et Turner.

Une salle est consacrée à l'artiste vénitien du XVIIIe siècle, Francesco Guardi. La réunion de ses 19 *Vedute* (vues) et *Capricci* (caprices) de Venise est considérée comme la plus belle du monde.

Les impressionnistes français sont représentés par Monet, Manet, Renoir et Degas. Les deux peintures les plus charmantes sont le *Garçon aux Cerises* et *Les Bulles de Savon* de Manet.

Au moment où l'on croit avoir épuisé la réserve de surprises du musée, on découvre que Gulbenkian fut aussi un connaisseur en art d'Extrême-Orient. Sa collection de porcelaines de Chine commence à l'époque Yuan (celle de Marco Polo) et s'étend jusqu'aux XVIIe et XVIIIe siècles avec quelques très belles pièces.

La dernière salle devait être chère au cœur du collectionneur. Elle renferme 169 créations de son ami René Lalique (1860–1945), artiste universel,

Musée, orchestre et chœur de la Fondation Gulbenkian: trois fleurons de la vie culturelle à Lisbonne.

74
73

Liste des musées

A Lisbonne, la plupart des musées sont ouverts du mardi au dimanche de 10 h. à 17 h. environ. Mais, avant de vous y rendre, vérifiez les heures d'ouverture qui varient d'une saison à l'autre.

Nous avons répertorié ci-dessous dix des plus importants musées de la capitale:

Archéologie (Carmo): Museu Arqueológico, Convento do Carmo, Largo do Carmo.

Art ancien: Museu Nacional de Arte Antiga, Rua das Janelas Verdes. Le jeudi et le dimanche, il ferme plus tard.

Arts décoratifs: Museu Escola de Artes Decorativas (Fundação Ricardo Espírito Santo Silva), 2 Largo das Portas do Sol, Alfama. Il ferme de 13 h. à 14 h. en semaine et le dimanche toute la matinée.

Art populaire: Museu de Arte Popular, Avenida Brasília, Belém.

Art religieux: Museu de Arte Sacra, São Roque, Largo Trindade Coelho.

Carrosses: Museu Nacional dos Coches, Praça Afonso de Albuquerque, Belém. L'été, il reste ouvert plus tard dans l'après-midi.

Faïence: Museu do Azulejo, Convento da Madre de Deus. Il ferme de 13 h. à 14 h. 30.

Gulbenkian: Museu Calouste Gulbenkian, Avenida de Berna, au coin de la Praça de Espanha. Les heures d'ouverture sont modifiées en été.

Marine: Museu da Marinha, Praça do Império.

Militaire: Museu Militar, Largo dos Caminhos de Ferro.

qui résuma à lui seul l'Art nouveau. Chaque objet suscite l'étonnement!

Le musée n'est qu'un élément de la Fondation Gulbenkian qui comprend encore des salles de concert et d'exposition, un centre d'art moderne, une bibliothèque, une librairie ainsi qu'un snack-bar.

Le **Museu Nacional de Arte Antiga** (Musée national d'art ancien) est installé dans un grand palais situé dans un lieu invraisemblable, à côté des docks de Lisbonne. Si vous vous êtes égaré, demandez les *Janelas Verdes* (volets verts), nom familier qu'on lui donne et qui est aussi celui de la rue dans laquelle il se trouve.

Ce musée renferme trois œuvres d'art qui, à elles seules, justifient un voyage à Lisbonne:

1. Le *Retable de Saint Vincent* vient du couvent de São Vicente de Fora. Ce polypty-

que à six panneaux est attribué au maître portugais du XVe siècle, Nuno Gonçalves. On y voit notamment les portraits de dignitaires de l'époque, comme celui d'Henri le Navigateur, représenté dans une attitude de piété qui lui convient bien. Des dizaines d'autres visages expriment des sentiments divers. Le réalisme de nombreux portraits a fait de cette œuvre un classique de l'art portugais.

2. La *Tentation de Saint Antoine* par Jérôme Bosch. Peint autour de 1500, cet exemple fantastique des visions de l'artiste est tempéré par son humour. Une grue qui s'élève comme un hélicoptère, des poissons à pattes, des hommes à visage d'animal et les catastrophes les plus horribles remplissent ce triptyque, fruit d'une imagination pétulante.

3. Une collection de paravents japonais du XVIe siècle. Il est impératif de voir cet ensemble exposé dans une petite salle, à l'écart. Le thème de ces extraordinaires documents historiques est l'arrivée des Portugais au Japon vue par les Japonais eux-mêmes. Pratiquement tous les étrangers ont une allure déplaisante, tandis que les autochtones, en observation dans leur pagode, paraissent se divertir. Qui ne le ferait pas à la vue de ces grands personnages au long nez et aux vêtements bizarres, accompagnés de serviteurs obséquieux, munis de chaises pliantes ou même de lunettes de soleil!

Chacun de ces trois trésors des Janelas Verdes renferme une multitude de détails captivants, et vous aurez du mal à les quitter pour continuer la visite du musée. Pourtant, il s'y trouve beaucoup d'autres merveilles: des peintures du XIVe au XIXe siècle d'artistes anglais, flamands, français, hollandais, allemands, italiens, espagnols, toutes très soigneusement restaurées; des objets en porcelaine et en verre d'Europe et d'Orient; des tapisseries et des meubles portugais rares; et, autre legs de Calouste Gulbenkian, une salle de sculptures anciennes comprenant en particulier un buste grec en marbre datant du Ve siècle av. J.-C. et la statue d'un lion provenant du palais de Tibère, à Capri.

Encore des musées – et un palais

Le **Convento da Madre de Deus** (couvent de la Mère-de-Dieu) comprend une des plus mémorables églises de Lisbonne, ainsi qu'un important musée. Situé un peu à l'écart des autres sites touristiques, vers le nord-est (voir la carte p. 62), il mérite un détour.

Fondé au début du XVIe siècle, il fut complètement reconstruit après le grand tremblement de terre. L'intérieur de l'église, refaite elle aussi, est d'une richesse démesurée. Idée originale, les murs latéraux sont recouverts de faïences hollandaises bleues et blanches, au-dessus desquelles sont suspendues deux rangées d'immenses tableaux; le plafond

Le Convento da Madre de Deus présente de pures merveilles.

est également couvert de peintures. Partout, dans l'église, la décoration est un mélange délirant de boiseries dorées aux multiples ornements, de peintures et de délicates faïences anciennes.

Le **Museu do Azulejo,** consacré entièrement à l'art de la faïence, occupe la majeure partie du bâtiment conventuel adjacent. Il comprend un petit cloître à deux niveaux décoré de faïences aux dessins géométriques de style mauresque. Officiellement, le musée posséderait près de 12 000 *azulejos,* illustrant tous les styles, depuis les dessins polychromes du XVe siècle jusqu'aux motifs Art déco. Ne manquez pas le *Panorama de Lisbonne,* tableau de faïences de plus de 35 mètres de long, représentant dans le détail les bords du Tage, quelque vingt-cinq années avant le séisme de 1755. Dans un autre genre, bien moins sérieux, sept panneaux fantaisistes racontent la réussite d'un chapelier du commencement du XIXe siècle, qui, après des débuts misérables, connut la richesse.

Le **Museu de Artes Decorativas** (Musée des arts décoratifs), logé dans un vieux palais, possède une belle collection de meubles, céramiques, objets en argent et tapis – du XVIe jusqu'au XIXe siècle – provenant du Portugal et de son empire colonial. De superbes boiseries ont été disposées dans les salles qui souvent paraissent habitées. Parmi les curiosités du musée, on notera une version primitive d'un canapé pliant; des chambres d'enfants avec ameublement à leur mesure; sans oublier un panier à pique-nique du XVIIIe siècle qui réjouirait le cœur d'un grand roi affamé. Le musée et l'Ecole des métiers d'art appartiennent à la Fondation Ricardo Espírito Santo. Du palais, sis juste au-dessus du Miradouro de Santa Luzia, la vue plonge sur les toits d'Alfama.

Le **Museu Militar** (Musée militaire) de Lisbonne se trouve à l'emplacement d'une ancienne fonderie où étaient coulés les canons au XVIe siècle (voir plan, p. 25). Mais les armes exposées aujourd'hui remontent à des époques antérieures: arbalètes, massues, fouets, mortiers du XIVe – et un estoc qui appartint à Vasco de Gama. L'époque de la chevalerie est représentée par de nombreuses armures, faites sur mesure pour les chevaliers et leurs montures. Une section, qui ne manque pas de mélancolie, est consacrée à la Première Guerre mondiale: on y verra des photos des troupes portugaises sur le front, des décorations fanées, des clairons et des casques criblés de balles. Dans la cour, on remarquera des pièces d'artillerie et même un tank! La visite de ce musée situé en face de la gare Santa Apolónia est une bonne occupation... pour ceux qui doivent attendre un train.

Le **Palácio da Ajuda,** le plus grand palais de l'agglomération de Lisbonne, regorge d'œuvres d'art et d'objets anciens. Le tout premier couple royal à l'habiter fut le roi Louis Ier (1861–1889) et sa jeune femme, la princesse Maria Pia de Savoie; ce sont eux qu'il faut louer d'avoir rassemblé un si beau mobilier: tapisseries des Gobelins, céramiques orientales et meubles portugais anciens d'une grande rareté. Vous y verrez trois salles à manger: la première, destinée aux grandes réceptions, peut accueillir 50 personnes; une autre, à l'étage, convient pour un dîner de 160 amis; quant à la dernière, intime bien qu'encore somptueuse, elle est réservée aux collations familiales et dispose d'une salle de billard contiguë. Les guides aiment montrer les dernières nouveautés de la maison, comme la machine à coudre de la reine dans une boîte spéciale de style rococo et la salle de bains avec ses lavabos de marque anglaise.

Jardins et parcs

Situé dans un charmant parc, le **Jardim Zoológico** de Lisbonne est empreint d'un certain sens de l'humour qui le rend encore plus attachant. Une des cages des chimpanzés a été conçue comme un cellier avec tonneaux, bouteilles incassables et balances – où les animaux s'en donnent à cœur joie. Les enfants s'amuseront beaucoup dans le petit parc d'attractions et l'école de conduite.

Le **Jardim Botânico** (Jardin botanique), qui borde l'Académie des Sciences, met l'accent sur la culture de plantes rares, issues de pays lointains. Mais ces activités savantes n'enlèvent rien à la beauté luxuriante de l'ensemble.

Le Campo Grande, entre le zoo et l'aéroport, est un parc très fréquenté par les Lisbonnins. Palmiers, cèdres et saules ombragent de jolies allées et un petit lac.

Le Jardim Guerra Junqueiro est un autre parc absolument ravissant. Les Lisbonnins l'appellent familièrement **Estrela** (étoile), du nom d'une remarquable église du XVIIIe située de l'autre côté de la rue (voir la carte, p. 62). Ce jardin à la flore tropicale abondante offre un beau point de vue sur la ville et son port.

Excursions

Côte d'Estoril

La Costa do Estoril (autrefois dénommée Costa do Sol) commence à l'ouest de Lisbonne, à la station résidentielle peu connue de CARCAVELOS. Elle suit la rive de l'estuaire, puis la côte atlantique jusqu'à Guincho. Si cette localité est le rendez-vous de ceux qui recherchent des plages libres de toute pollution (voir p. 86), on se doit de s'arrêter en chemin à Estoril (à 25 km. de Lisbonne), élégante station balnéaire d'ancienne réputation.

Le train qui mène à Estoril en une demi-heure depuis la gare Cais do Sodré traverse des villes anonymes et sans grand intérêt. Il est difficile en effet de vanter les charmes de PAÇO DE ARCOS ou de SANTO AMARO. Mais au passage, il faut jeter un coup d'œil aux villas et aux jardins de ces obscures agglomérations, car, quoi qu'en disent les cartes, on se croirait au bord de la Méditerranée.

La gare d'**Estoril** longe la plage. De l'autre côté des voies (et de la route du bord de mer), s'étend un parc aux rangées régulières de palmiers, d'arbustes, de plates-bandes et de bassins. Il sert de jardin à l'édifice le plus imposant de la ville, le nouveau **casino.** Celui-ci comprend boîte de nuit, restaurants, boutiques, bars, cinéma, hall d'exposition et salles de jeux qui en font le centre des distractions nocturnes d'Estoril.

Malgré son décor moderne, ce casino, qui emploie plus de 200 croupiers, a gardé une allure désuète. Les jeux – roulette, baccara, vingt-et-un, dés et un jeu portugais appelé «banque française» – ne sont suspendus que deux jours par an: le Vendredi saint et la veille de Noël. Selon la légende, quelqu'un aurait fait sauter la banque un Vendredi saint, incitant désormais une direction superstitieuse à fermer ses portes ce jour-là. Si, en quittant les salles de jeux, il vous reste un peu d'argent, vous pourrez à nouveau tenter votre chance avec l'une des 300 machines à sous.

Estoril, c'est une succession de villas de style victorien et de quelques maisons modernes aux murs rectilignes et nus qui se dissimulent derrière des rideaux de palmiers, d'eucalyptus, de pins et de vignes. Au cours de la première moitié du siècle, de nombreux monarques, tout à coup sans emploi, sont venus à Estoril ou Cascais rêver dans une intimité luxueuse au jour de leur restauration.

Dès le milieu du XVIIIe siècle, Estoril attirait les visiteurs par son climat doux et ses eaux thermales, bénéfiques aux malades du foie. Mais, bien avant, elle était déjà fréquentée par les voyageurs de la préhistoire. On en voit la trace notamment dans deux catacombes découvertes en 1944 non loin de la plage, dans lesquelles on trouva en particulier quatre anneaux d'or en spirale; ils sont exposés au musée de Cascais.

Alors qu'Estoril est la station balnéaire par excellence – cosmopolite et sybarite –, **Cascais** mène une étonnante double vie. On l'a appelée la ville des pêcheurs et des rois. En effet, les gens simples de la mer cohabitent à merveille avec les seigneurs des villas.

La plage des pêcheurs offre toujours quelque spectacle intéressant, même les jours fériés où les petits bateaux bleus, jaunes ou rouges restent sur la rive. Des pêcheurs en habits du dimanche, gênés par leurs chaussures et leur cravate, échangent alors des histoires. Les mouettes prennent le soleil et les enfants transforment la plage en terrain de football.

L'activité des jours de pêche est un spectacle divertissant: on voit les poissons transvasés des embarcations dans des plateaux en bois et emportés ensuite sans tarder jusqu'au marché couvert moderne. Ici, la vente à la criée se fait à l'envers: on commence en effet par lancer un prix très élevé et on le diminue progressivement jusqu'à ce qu'une offre soit faite. Même sans comprendre la mélopée du crieur, on ne peut que se régaler en observant la scène!

La **grand-place** de Cascais est un lieu enchanteur. Le Paços do Concelho (Hôtel de Ville) a d'imposantes fenêtres aux grilles en fer forgé, séparées par des panneaux d'*azulejos* représentant des saints. La caserne des pompiers occupe une place d'honneur entre ce bâtiment et une charmante église désaffectée. Sur la place, dont le sol est recouvert de mosaïques aux motifs en arabesques, se dresse la statue moderne du roi Pierre Ier couronné, grand et majestueux.

Le sinistre fort du XVIIe siècle, appelé Cidadela (citadelle), est un des rares édifices à avoir survécu au tremblement de terre et au raz-de-marée de 1755. Dans l'enceinte se trouve

La brise de l'automne n'est pas faite pour décourager les baigneurs de la plage de Carcavelos, sur la Côte d'Estoril... ni les observateurs.

CÔTE D'ESTORI
Praia das Maçãs
ERICEIRA, MAFRA
TORRES VEDRAS
Praia Grande
Praia da Adraga
Ribeira de Colares
Sabugo
Vale de Lobos
Loures
Rio Trancão
Frielas
Unhos
Caneças
Colares
SINTRA
São Pedro
Almoçageme
Ranholas
A. da Beja
Odivelas
Sacavém
Cabo da Roca
Parque da Pena
Serra de Sintra
Rio de Mouro
Cacém
Belas
Charneca
Lumiar
Aeroporto
Moscavide
Linhó
Albarraque
Malveira
Amadora
Benfica
Queluz
Ribeira de Barcarena
Rio Oeiras
Praia do Guincho
Jardim Zoológico
CAMPO GRANDE
Campo Pequeno
Alcabideche
Alcoitão
Barcarena
Parque Florestal de Monsanto
Museu Calouste Gulbenkian
Aqueduto das Águas Livres
Cabo Raso
109
Monte Estoril
Carnaxide
Igreja da Madre de Deus
ALFAMA
ESTORIL
Jardim da Estrela
S. Domingos de Rana
Caxias
Estádio nacional
Palácio Nacional da Ajuda
CASCAIS
Parede
OEIRAS
BELÉM
Museu de Arte Antiga
LISBOA
(Lisbonne)
Boca do Inferno
S. João do Estoril
Carcavelos
Paço de Arcos
Ponte 25 Abril
Caçilhas
Rio Tejo
Santo Amaro
Cristo-Rei
Almada
Trafaria
0
5
10 km
N
OCEANO ATLÂNTICO

une petite chapelle où l'on peut voir le portrait de saint Antoine que porte traditionnellement une mule blanche pendant les processions.

Après une orgie de soleil et de sel, on est content de trouver les frais ombrages du parc municipal, plus bas sur la route. Sous d'immenses arbres, des cygnes blancs nettoient leurs plumes au bord de bassins regorgeant de poissons rouges et argentés à la mine prospère. Dans ce parc, un palais abrite le **Museu dos Condes de Castro Guimarães** où sont exposés vestiges archéologiques, œuvres d'art, mobilier ancien, pièces d'orfèvrerie en or et en argent. L'objet le plus remarquable est un manuscrit enluminé du XVIe siècle comportant une illustration très détaillée du port de Lisbonne à l'époque des grandes découvertes.

En continuant toujours vers l'Ouest, la route passe à la **Boca do Inferno** (Bouche de l'Enfer), site géologique qui atteste de façon spectaculaire la force de l'Océan.

Officiellement, la Côte d'Estoril finit derrière l'extrémité de la presqu'île, à **Guincho,** où la côte rocheuse, fouettée par les lames, alterne avec des plages de sable tranquilles. Un peu plus loin, se dresse l'imposant **Cabo da Roca,** un cap situé au point le plus occidental de toute l'Europe.

Les vacanciers qui se rendent sur ce littoral peuvent pratiquer tous les sports terrestres et nautiques possibles et goûter aux joies d'une vie nocturne animée. Outre ces plaisirs, de multiples distractions sont offertes dans des domaines aussi variés que courses automobiles, théâtre expérimental, festival de jazz ou corridas. Cette clémente Costa do Estoril reste toute l'année un lieu de vacances idéal et, s'il faut en arriver là, un élégant refuge pour les exilés.

Queluz

Voilà une sortie d'une demi-journée qui vous fera découvrir un ravissant château rose, à 14 kilomètres à l'ouest de Lisbonne. Vous le visiterez en prenant part à une excursion organisée en autocar, à moins que vous ne choisissiez de vous y rendre en voiture (par l'autoroute qui traverse le bois de Monsanto). On peut aussi prendre un train à la gare du Rossio.

Ce **palais** fut construit dans la deuxième moitié du XVIIIe siècle sous la direction de deux architectes de talent: le Portugais Mateus Vicente de Oliveira et le Français Jean-Baptiste Robillon. Résidence officielle de la famille royale, Queluz connut ses heures de gloire sous le règne de Marie Ire (1777–1799), bien que de fréquents accès de dépression aient empêché l'infortunée reine, connue surtout pour sa folie, d'en apprécier les lieux.

De la route, le palais a un aspect un peu austère, mais à l'intérieur toute modestie disparaît. La **salle du Trône** est évidemment la pièce la plus luxueuse avec ses chandeliers grandioses, ses murs et ses plafonds chargés d'or. Le hall des Ambassadeurs, dont le sol ressemble à un immense jeu d'échecs, est tapissé de glaces, tandis que le fond de la salle est orné de trônes.

Dans les immenses **jardins** qui sont la fierté de Queluz, des baies bien soignées ont été disposées en dessins géométriques et les arbustes taillés suivant des formes originales. Les grands magnolias d'âge canonique en atténuent un peu l'aspect cérémonieux. Tout près, des orangers en assez grand nombre auraient satisfait toute reine passionnée de confitures (ne touchez pas aux fruits, ils sont la propriété du gouvernement!). Les invités royaux pénétraient dans le parc par la solennelle et originale **Escadaria dos Leões** (escalier des Lions). Certaines des fontaines du jardin étonneront par leur statuaire, tels ces monstres marins aux gueules de pékinois.

Queluz possède une attraction plutôt fantaisiste – une rivière «artificielle». Entre des murs de retenue recouverts de délicats *azulejos*, un vrai cours d'eau avait été détourné pour agrémenter les jardins du palais et permettre aux nobles résidents de s'adonner aux plaisirs d'une promenade en bateau.

Vous pouvez aussi organiser votre visite de manière à déjeuner dans la cuisine royale aménagée en restaurant. L'atmosphère qui y règne lui a tout naturellement valu le nom de Cozinha Velha, la vieille cuisine.

Ce palais, comme tous ceux de la province, est fermé aux visiteurs le mardi et les jours où des chefs d'Etat étrangers y résident.

Sintra

Voilà une ville dont vous deviendrez fou. Sintra située à 25 kilomètres au nord-ouest de Lisbonne, est de ces lieux où, après une visite d'un jour, on rêve de revenir pour toujours. Les versants des collines boi-

Si ce n'était la fraîcheur un peu trop revigorante des eaux de l'océan Atlantique, tout ici pourrait faire croire à un climat méditerranéen.

sées où s'élèvent des palais et des demeures princières découvrent des vues merveilleuses. La prison elle-même est un château. Du plus haut de cette ville à flanc de coteau, on peut voir la mer.

Il faut commencer la visite au centre de la ville, au **Paço da Vila** (palais Royal, fermé le mercredi). Sans ses deux cheminées coniques, il passerait bien à première vue pour un ultime exemple de palais classique. Résidence d'été des souverains portugais dès le XIVe, cet édifice, qui fut agrandi au cours des siècles, présente un original mélange architectural où se côtoient notamment les styles médiéval et manuélin. L'intérieur, avec ses décors et son mobilier, est charmant. Parmi ses nombreuses merveilles, ce palais abrite certains des plus beaux et des plus anciens *azulejos* du Portugal.

Chaque pièce a son histoire. En voici un exemple: il était une fois (au XVIIe siècle) un roi du Portugal pauvre d'esprit qui s'appelait Alphonse VI. Pour le bien du pays, on le pressa d'abdiquer et il fut remplacé par son frère Pierre II d'intelligence supérieure. Mais un jour, un complot qui visait à rétablir Alphonse fut découvert. Alors on exila l'ancien monarque à Sintra. Pendant neuf ans, jusqu'à sa mort en 1683, il fut emprisonné dans une modeste pièce du palais Royal. On peut encore voir la trace de ses pas dans le sol en briques.

Une autre salle du palais, grande et joyeuse, évoque une histoire moins dramatique. C'est là qu'on surprit le roi Jean Ier (1385–1433) embrassant une des dames d'honneur de la reine Filipa. Le roi se justifia par une histoire extravagante et prétendit que ce baiser était *por bem* (pour la bonne

A Sintra, il suffit de quelques azulejos *pour faire d'une banale fontaine une œuvre remarquable.*

cause), faisant peut-être allusion à quelque affaire d'Etat ultra-secrète. Puis, pour mettre un terme aux bavardages qui allaient bon train à la cour, il donna l'ordre de peindre sur le plafond de cette pièce des pies – autant qu'il y avait de dames d'honneur – le bec scellé par la devise *por bem.*

Beaucoup d'autres plafonds valent le risque d'un torticolis. L'un représente des cygnes, tous peints dans des positions différentes. Un second montre les blasons des familles nobles. D'autres encore sont décorés de motifs délicats et compliqués de style mudéjar.

Le monument le plus ancien

de Sintra, le **Castelo dos Mouros** (château des Maures), est niché au sommet d'une colline rocheuse surplombant la ville. Il fut probablement construit au VIIIe ou au IXe siècle, juste après l'occupation du Portugal par les Maures. L'intrépide Alphonse Henriquez s'en empara en 1147 – victoire décisive dans l'histoire de la reconquête du pays par les chrétiens.

Au sommet d'une autre colline qui s'élève à quelque 500 mètres au-dessus du niveau de la mer, se dresse le **Palácio da Pena,** incroyable folie victorienne. Pour l'atteindre, on traverse un parc aux allures de forêts tropicales.

En 1511, le roi Manuel Ier fonda un monastère à cet emplacement qui fut pratiquement détruit en 1755, à l'exception d'une chapelle et d'un cloître remarquables. Le palais actuel, mélange d'architectures gothique, Renaissance, manuéline et mauresque, fut conçu comme un nid d'amour pour la reine Marie II (1834–1853) et son romantique époux, Ferdinand de Saxe-Cobourg-Gotha. Rares sont ceux qui peuvent s'offrir des caprices aussi grandioses. De la terrasse de cet édifice, admirez le **panorama** qui se déroule de l'Océan jusqu'à Lisbonne.

Le palais est fermé tous les lundis ainsi que les jours fériés. Lorsque vous visiterez Sintra, choisissez de préférence le deuxième ou le quatrième di-

Si l'on pose fièrement devant le Palácio da Pena, au marché d'Alcobaça, on est moins complaisant!

manche du mois, lorsqu'une vraie foire de campagne se tient dans le village voisin de SÃO PEDRO DE SINTRA.

Un dernier conseil: ne quittez pas Sintra sans avoir acheté une boîte de *queijadas*, ces petits gâteaux au fromage dont la croûte est aussi fine que du papier. Un délice!

Mafra

Dans ce pays où règne la modestie, on est ébranlé par les dimensions du couvent et du palais de Mafra, situés à 40 kilomètres au nord-ouest de Lisbonne. La façade de l'édifice, souvent comparée à l'Escurial espagnol, mesure près de 220

A quelques kilomètres de Mafra, le paisible port de pêche d'Ericeiria ne cesse depuis des siècles de parer aux violences de l'Océan.

mètres de long et comporte 4500 portes et fenêtres, si l'on en croit celui qui les a comptées.

C'est au roi Jean V qu'incombe la responsabilité de cet exploit monumental. En 1711, l'idée lui vint de «placer» sa fortune émanant du lointain Brésil dans une réalisation qui célébrerait sa piété religieuse. Il fit donc appel à un architecte allemand nourri de culture italienne, du nom de Ludwig ou Ludovice. Près de 50000 artistes, artisans et manœuvres participèrent à la construction.

Sur la route entre Lisbonne et Mafra, on peut voir de modestes maisons de campagne aux murs, escaliers et patios décorés de mosaïques de marbre. Nous sommes en effet au pays du marbre et l'on comprend mieux pourquoi la **basilique** de Mafra en est couverte. Des effets originaux sont obtenus avec l'alliance notamment du marbre blanc des colonnes et du marbre rougeâtre des murs.

Les statues sont également remarquables.

La bibliothèque du couvent au plafond voûté contient 30 000 volumes.

L'**hôpital** est une étrange église dans laquelle ont été aménagées, le long de la nef, 16 chambres privées, pour permettre aux malades d'entendre les offices de leur lit. Si vous êtes sensible, évitez la pharmacie où, à côté d'un ensemble de pots d'apothicaire tout à fait charmants, sont exposés d'épouvantables instruments chirurgicaux.

Vous aurez peut-être la chance d'arriver à Mafra un jour de concert de carillons à la sonorité admirable.

La plupart des excursions organisées prévoient un déjeuner sur la côte, à 8 ou 10 kilomètres de là, dans le village de pêcheurs d'**Ericeiria.** C'est un séduisant bourg aux rues pavées qui serpentent entre de petites maisons peintes à la chaux, où tout est propre et net, et que les habitants et les vacanciers portugais chérissent infiniment.

Ericeiria reçut la charte de cité il y a 750 ans, mais elle n'attira guère l'attention avant 1910; c'est ici que le dernier roi du Portugal, Manuel II, s'embarqua avec sa famille pour l'exil.

La presqu'île d'Arrábida

Sesimbra, à 32 kilomètres au sud de Lisbonne, sur une côte calme et propre, est un port de pêche très actif. La plage, étroite mais étendue, est à l'abri de la violence des marées et des vents.

Les **fortifications** qui se détachent au sommet de la colline dominant Sesimbra sont authentiques, bien que récemment restaurées. Au Moyen Age, le village se regroupait là-haut, protégé derrière ces murailles. Cette enclave, construite par les Maures, fut conquise par le roi Alphonse Henriquez en 1165, reprise ensuite par ses premiers occupants qui en furent chassés définitivement quelques années après, en 1200.

Bien qu'il ne reste presque rien à l'intérieur des murs d'enceinte, l'ancien village vaut bien le détour (6 kilomètres depuis Sesimbra). Parce qu'un musée archéologique, petit mais ambitieux, a été installé dans une salle contiguë à l'église (XIIe siècle) du château, et que, de cette hauteur, on peut contempler un magnifique panorama embrassant la côte et les montagnes d'Arrábida. Enfin, parce que le long du chemin, trois **moulins à vent** trapus s'accrochent à flanc de coteau. On est surpris d'apprendre que le pays d'Europe le plus riche en moulins à vent est le Portugal (il en compte près de 20 000 alors que la Hollande n'en possède plus que 1000).

A 12 kilomètres au sud-ouest de Sesimbra, la terre forme un de ces promontoires perdus qui fut sans doute la terreur des marins. Sur le **Cabo Espichel,** à l'extrémité de la presqu'île, se fracassent les plus impitoyables vagues de l'Atlantique. Si c'est un endroit rêvé pour un phare, pourquoi ne serait-ce pas aussi celui d'un sanctuaire? Nossa Senhora do Cabo (Notre-Dame-du-Cap), du XVIIe siècle, attire les pèlerins depuis le Moyen Age. Ceux-ci logeaient dans les bâtiments à arcades qui entourent la grande place.

La curiosité topographique de la presqu'île d'Arrábida est la réserve naturelle de la Serra da Arrábida, chaîne de montagnes de 35 kilomètres de long, qui protège la côte des vents du Nord et favorise la végétation méditerranéenne.

Setúbal, la capitale de cette région, est à 40 kilomètres de Lisbonne. Le trajet en voiture est agréable. Des autocars assurent la liaison en une heure. On peut aussi prendre le train après avoir traversé le Tage en

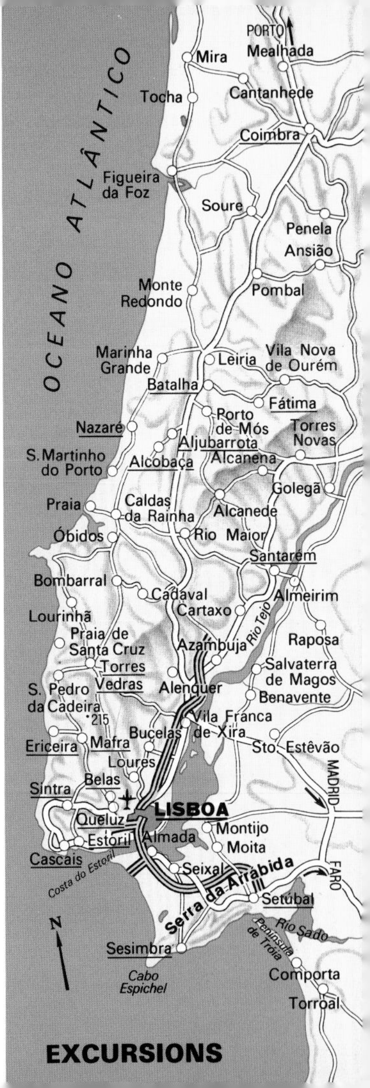

bateau. Il faut alors compter une heure et demie car le service ferroviaire est parfois si lent que le mécanicien a le temps de serrer la main de tous les chefs des petites gares de la ligne. Mais, qu'on voyage en train ou en voiture, le pays découvre toujours le merveilleux spectacle des oliviers, des citronniers et des vaches broutant entre les arbres. A mesure

Le temps semble s'être arrêté pour le Portugal des moulins à vent et des pêcheurs au chef rembourré, porteurs d'une prise toute frétillante.

que l'on descend vers le Sud, les vignobles se multiplient. Cette province produit en effet un excellent muscat.

Setúbal est à la fois un marché, un lieu de séjour et le troisième port de pêche du Portugal. D'étroites et séduisantes rues commerçantes serpentent au centre de la ville. Autour, on compte plus de parcs, de places, de statues et de monuments qu'une cité de cette importance ne pourrait se vanter de posséder.

La merveille historique et artistique de Setúbal est la **Igreja de Jesus** qui fut construite vers 1490 par l'architecte français Boytac – auteur du

splendide monastère des Jerónimos bâti ultérieurement à Lisbonne. Un portail central spectaculaire conduit dans l'église où dominent deux éléments décoratifs d'une grâce extrême: les murs sont recouverts d'*azulejos* du XVIIe siècle et les piliers, d'aspect fragile malgré leur grand diamètre, ressemblent à des torsades d'argile.

Le monastère, transformé en musée municipal, présente aussi bien des peintures portugaises primitives que des fragments archéologiques, du mobilier ancien et des faïences. Le cloître fut reconstruit après le tremblement de terre de 1755, mais des fouilles ont permis de dégager une partie du patio d'origine.

Le **fort** du XVIe siècle qui domine la ville a été transformé en *pousada* (auberge gérée par l'État), d'où l'on découvre un panorama de rêve.

Face à Setúbal, de l'autre côté du fleuve appelé Sado, commence une dune de sable aux plages si étendues qu'elles ne pouvaient rester éternellement cachées. Pour rejoindre la presqu'île de Tróia on peut parcourir cette côte en voiture – sur plus de 100 kilomètres – ou prendre à Setúbal l'aéroglisseur qui assure la traversée en cinq minutes.

Vers le Nord

Toutes les agences de tourisme proposent une excursion d'un jour englobant la visite de quatre importants sites de la région situés au nord de Lisbonne: le sanctuaire de Fátima, deux monastères représentatifs de l'histoire et de l'âme portugaises et la ville de pêcheurs la plus effrontément pittoresque de tout le pays, Nazaré. Cette tournée de 11 heures est riche en découvertes.

Fátima, à environ 135 kilomètres de Lisbonne, possède une basilique néo-classique du début du siècle, face à une place que l'on dit deux fois plus vaste que celle de Saint-Pierre à Rome. C'est là, qu'en 1917, trois jeunes bergers furent bouleversés par une série de visions, suivies d'un phénomène solaire dont furent témoins des milliers de personnes. Deux des enfants moururent peu après ces événements inexplicables; la troisième, Lucia, est carmélite à Coïmbra. Elle se montra pour la dernière fois en public au cours des cérémonies marquant le cinquantenaire

Le sanctuaire de Fátima reçoit des milliers de pèlerins dont la ferveur n'a rien à faire avec l'âge.

des apparitions, auxquelles participèrent le pape et près de deux millions de fidèles venus du monde entier.

Des pèlerinages ont lieu le 13e jour de chaque mois, mais les dates les plus respectées sont le 13 mai et le 13 octobre. Même les jours ordinaires, une foule de croyants, certains en fauteuils roulants, d'autres à genoux en signe de pénitence, se rend à Fátima.

A mi-chemin entre Fátima et la côte, se trouve le **Mosteiro da Batalha** (monastère de la Bataille) aux nombreuses tourelles, consacré à Santa Maria da Vitória. Le roi Jean Ier commanda la construction de ce chef-d'œuvre gothique pour commémorer la victoire d'Aljubarrota qui eut lieu non loin de là, en 1385. Au centre de la **Capela do Fundador** (chapelle du Fondateur), un grand tombeau renferme les dépouilles de Jean et de son épouse Filipa. Leurs enfants, notamment le célèbre Henri le Navigateur, reposent dans des niches latérales.

La **salle du Chapitre,** pièce voûtée carrée (d'environ 20 mètres de côté), où sont enterrés les soldats inconnus du Portugal, est une merveille de l'architecture ogivale (vers 1400). On raconte qu'en raison du danger que présentait l'édification de ce plafond sans support, l'architecte n'aurait employé que des prisonniers condamnés à mort.

Le **Claustro Real** (cloître royal), comme l'église, fut conçu à l'origine dans un pur style gothique, mais, après deux siècles de travaux, le style manuélin s'imposa. En effet, la pierre des colonnes et des arcs, véritable travail de filigrane, reflète une imagination des plus débridées. A cette fantaisie s'oppose l'ordonnance géométrique des haies du jardin.

L'ancien monastère cistercien d'**Alcobaça** (Abadia Real de Santa Maria) est plus vieux et plus grand que celui de Batalha. Il fut lui aussi, construit en souvenir d'une victoire – la bataille de 1147 au cours de laquelle le roi Alphonse Ier reprit aux Maures la ville de Santarém. Malgré les ajouts successifs que subit l'édifice, il règne une grande harmonie d'ensemble. L'intérieur, en pierre calcaire nue, est impressionnant; c'est la plus grande église du Portugal.

Dans le transept, vous verrez les **tombeaux** du roi Pierre Ier et de sa bien-aimée, Inês de Cas-

L'élégant cloître d'Alcobaça recèle quelques sépultures historiques.

tro. Elles sont décorées de sculptures médiévales – les plus fameuses du pays – illustrant l'histoire de ce couple romantique. Inês fut assassinée en 1355 pour des motifs politiques, après avoir connu dix ans de bonheur auprès du prince Pierre. Lorsqu'il devint roi deux ans plus tard, il fit exhumer le corps de sa compagne, le couronna et ordonna à tous les nobles de s'agenouiller et de baiser la main de la morte.

Après l'épisode de cette tragique histoire d'amour, le visiteur sera soulagé de découvrir les cuisines du XVIIIe siècle avec leurs monumentales cheminées carrelées. L'eau de la rivière canalisée y arrivait directement, ce qui permettait aux moines de remplir leurs gobelets sans se mouiller les pieds.

Nazaré répond absolument à l'image qu'on en attend: les pêcheurs portent bien des bonnets de laine noirs et des pantalons à grands carreaux; on voit encore parfois les bœufs tirer sur la rive les grandes barques à fond plat. Et les tabliers éclatants des femmes recouvrent effectivement sept jupons.

Sítio, la falaise de 100 mètres à l'extrémité nord de Nazaré, offre un point de vue incomparable sur la verte campagne vallonnée, les toits de tuiles de

cette ville soigneusement dessinée et les kilomètres de **plages** ouvertes à la violence de l'Océan. La vie et les coutumes des pêcheurs de Nazaré semblent préservées. Dans les rues droites mais étroites, les maisons peintes à la chaux rivalisent de charme avec les jeunes filles aux jupes ondoyantes. A

La fontaine publique où les femmes de Nazaré viennent encore puiser de l'eau est aussi un lieu de rencontre, véritable source d'informations.

Nazaré, on se pose inévitablement deux questions: les femmes portent-elles bien sept jupons et pour quelle raison? Il est facile d'élucider la première en allant inspecter... les poupées costumées des boutiques de souvenirs. Quant à la seconde, certains disent que chaque jupon correspond à un jour de la semaine, mais en fait, la légende a gardé son secret.

Que faire

Les achats

Lisbonne est une capitale raffinée où l'on rencontre pourtant encore des femmes, la tête chargée de lourds paniers. Dans le domaine des achats, la ville offre un contraste aussi marqué. Des boutiques chic aux marchés en plein air, l'éventail est suffisamment large pour satisfaire tous les goûts et toutes les bourses. Vous y trouverez des colifichets de quatre sous (parfois d'une beauté remarquable), comme des bijoux en or ou en argent de grande valeur.

Quand faire ses achats?

Les magasins de Lisbonne ouvrent du lundi au vendredi de 9 h. à 13 h. et de 15 h. à 19 h., et le samedi matin de 9 h. à 13 h. Les nouveaux centres commerciaux fonctionnent habituellement de 10 h. à minuit, parfois plus tard, et souvent même le dimanche. Certaines boutiques du quartier de la Baixa restent ouvertes à l'heure du déjeuner. Le marché aux puces du Campo de Santa Clara se tient le mardi et le samedi toute la journée. Le grand marché de São Pedro de Sintra a lieu les deuxièmes et quatrièmes dimanches du mois.

Le marchandage n'est toléré qu'aux étalages de brocante du marché aux puces.

Qu'acheter?

L'artisanat est très florissant au Portugal. Voici une liste alphabétique qui vous donnera quelques idées.

Antiquités. Il est toujours difficile de détecter l'objet ancien de valeur dans le bric-à-brac présenté, mais les collectionneurs avisés auront plaisir à fouiner dans les boutiques de la Rua Dom Pedro V – la rue commerçante qui descend du Rato à Cais do Sodré. Si vous êtes simplement en quête d'un souvenir du temps passé, les marchés aux puces vous proposeront des trouvailles. Dans le goût rustique, vous dénicherez sur les marchés de villages moult objets de la campagne.

Broderies. Des milliers de femmes sur l'île de Madère en fabriquent de délicates de réputation mondiale. Les nappes en toile ou en organdi sont merveilleuses mais chères. Les broderies faites à la main peuvent aussi provenir de l'archipel portugais des Açores ou d'un village du Portugal, notamment Viana do Castelo. Quant aux dentelles compliquées, elles sont fabriquées dans les villes bordant la côte portugaise.

Capes. Dans la région de l'Alentejo, au sud de Lisbonne, on porte de longues capes, généralement de couleur marron, bordées d'un col de fourrure. De charmants modèles existent pour les enfants. On trouve aussi d'élégantes capes flottantes traditionnelles, dignes d'une princesse.

Châles. Si les longs châles noirs dans lesquels se drapent les chanteuses de *fado* ne conviennent pas à votre type, choisissez une écharpe aux joyeux motifs.

Boîtes à épices, plateaux... le bois est ici une spécialité des artisans.

Coqs. Statuettes en bois ou en céramique, peintes à la main, de couleurs vives, en l'honneur du coq qui se dressa dans l'assiette du juge et cria l'innocence d'un homme injustement condamné. C'est ainsi que le veut la légende racontée dans la ville septentrionale de Barcelos où l'on fabrique ces figurines.

Couvertures. Recherchez celles d'Arraiolos, ce village de l'Alentejo où on les confectionne depuis trois siècles, car leurs couleurs et leurs motifs sont très gais.

Disques. Le *fado* chez vous, pour partager avec vos amis l'atmosphère de vos vacances.

Faïences. Depuis des siècles, les *azulejos* peints à la main décorent les murs portugais. Vous pourrez acheter un seul carreau bleu et blanc ou tout un lot avec lequel, de retour chez vous, vous composerez un tableau.

Ferronnerie. Ne manquez pas d'admirer les vieilles lampes, les cache-pots, etc., en fer forgé.

Filigrane. Les Maures, lorsqu'ils envahirent l'Ibérie au VIIIe siècle, apportèrent aussi leur art du filigrane, toujours florissant. Le motif typiquement portugais représente une caravelle faite de fils d'or et d'argent.

Liège. Le Portugal est le plus grand producteur mondial de liège. Il y a le bouchon, bien sûr, mais aussi de nombreux objets décoratifs!

Objets peints à la main. Presse-livres, cendriers, bougeoirs et autres souvenirs bon marché, en général très colorés.

Osier. Outre les paniers, vous trouverez de nombreux objets en osier faits à la main: chaises, tables, maquettes de bateaux et animaux.

Paniers. Chaque région a sa façon de tresser des paniers pour la ferme ou la maison, en osier, en jonc ou en paille. Ils sont solides, utiles et souvent jolis.

Peintures à l'huile. Les artistes portugais s'intéressent à tous les genres. En général, les touristes préfèrent les peintures montrant les lieux qu'ils ont visités. Ils pourront choisir entre un tableau des rues tortueuses d'Alfama et une toile représentant des pêcheurs ou des bateaux, les thèmes favoris.

Porto. Ces vins légendaires produits dans la vallée du Douro, près de Porto, sont en général des liqueurs de dessert. Cer-

Peut-être découvrirez-vous le *souvenir parmi les broderies de Cascais ou les poteries d'Alentejo.*

tains crus cependant donnent d'excellents apéritifs. Même au Portugal, boire un grand porto est un luxe.

Poteries. La longue, remarquable et quelque peu confuse histoire du pays depuis l'époque phénicienne explique la richesse des motifs et des formes des poteries portugaises. La fabrication en est délicate et les couleurs vives.

Poupées. Elles portent d'authentiques costumes régionaux.

Tricots. Chandails tricotés à la main aux motifs très élaborés ou pulls marins en laine rustique.

Vin de Madère. Il faut rapporter une ou deux bouteilles de ce célèbre vin, produit du sol volcanique de l'île ensoleillée. Il existe plusieurs madères, plus ou moins secs, à déguster avant ou après le repas.

Les sports

De la natation ou la marche à pied à la difficile pêche en mer, les passionnés de sport trouveront sûrement de quoi satisfaire leurs goûts dans la région de Lisbonne. Le climat doux permet de jouer au golf et au tennis toute l'année et offre une longue saison de bains de mer.

Sports nautiques

Natation. L'Office National du Tourisme du Portugal publie un dépliant qui recense les plages et leurs équipements.

Sur la côte d'Estoril, évitez, du fait de la pollution, de vous baigner trop près de Lisbonne, et gagnez au moins Estoril. A partir de Guincho,

la mer est très propre (méfiez-vous toutefois du ressac). Au sud de la capitale, il vous faudrait pousser jusqu'à Caparica. Quant aux grandes plages de la péninsule de Tróia, elles sont accessibles de Setúbal par aéroglisseur.

Plongée sous-marine. Les eaux extraordinairement claires et calmes au large de Sesimbra conviennent tout à fait à la plongée sous-marine.

Ski nautique. Il est pratiqué à Estoril et Portinho da Arrábida (entre Sesimbra et Setúbal).

Voile et canotage. Sur la plupart des plages abritées de l'Océan, on peut louer à l'heure des barques à rames, des canoës ou des pédalos. Les marins expérimentés, à la recherche de bateaux mieux adaptés à la mer, pourront s'adresser au club de yachting ou de voile local.

Pêche. Tout le long de la côte, on peut voir des pêcheurs à la ligne en grandes bottes. Ils se tiennent sur les plages, sur les rochers ou encore sur des promontoires aménagés spécialement. La plupart d'entre eux affirment que «ça mord!» Pour la pêche en mer, il faut aller au large de Sesimbra où vit l'espadon.

Sports terrestres

Golf. La région de Lisbonne possède plusieurs terrains: le Club de Golf d'Estoril (9 et 18 trous), le golf Estoril Sol de Sintra (9 trous), le Country Club de Lisbonne, à Aroeira (18 trous), le Club sportif de Lisbonne, à Belas, près de Queluz (14 trous + 4 trous), le Marinha Golf & Country Club, près de Cascais (18 trous), le Club de golf de Tróia, à Tróia, près de Setúbal (18 trous) et le Club de golf de Vimeiro, à Vimeiro (9 trous).

Tennis. Outre les courts des grands hôtels, il existe des clubs de tennis et des courts municipaux ouverts au public.

Equitation. On peut louer un cheval, avec ou sans professeur, au Country Club de Lisbonne ou dans l'une des nombreuses écoles d'équitation de la ville et des alentours.

Manifestations sportives

Football. Les deux grandes équipes rivales de Lisbonne sont le Benfica et le Sporting.

Courses de chevaux. Elles se déroulent à l'hippodrome de Campo Grande et sont très populaires.

Concours hippiques. C'est à Cascais qu'ont lieu les concours d'équitation et de saut d'obstacles.

Courses automobiles. Elles se tiennent à l'autodrome d'Estoril, sur la route de Sintra.

Les fêtes

Le bureau de l'Office du Tourisme, dans le centre de Lisbonne, affiche le programme des fêtes et des festivals dans tout le pays; il faut en tenir compte avant de préparer ses excursions.

La plupart des processions religieuses pittoresques ont lieu dans le nord du Portugal. Dans les villes des environs de Lisbonne, il arrive que la fête du saint patron soit célébrée autant à l'église que dans la rue, par des bals, des feux d'artifices et des corridas.

Dans la capitale, le carnaval est un événement plutôt discret. Si des pétards éclatent dans les rues, cette fête qui annonce le Carême est en général célébrée en privé.

Juin est le mois des «saints populaires» de Lisbonne – Antoine, Jean et Pierre – et c'est l'occasion de foires dans les faubourgs. La plus grande fête a lieu le 13 juin en l'honneur de l'enfant de Lisbonne, saint Antoine de Padoue (voir p. 35).

Festival de Batalha: une bonne occasion de goûter aux spécialités locales.

Les corridas

Les enfants de plus de six ans sont autorisés à assister aux corridas. N'ayez aucun scrupule à emmener vos bambins voir ce spectacle pittoresque car, ici, il ne comporte pas de mise à mort. Si le combat est moins décisif que dans la version espagnole, il est sans doute plus divertissant.

Dans une corrida classique, huit taureaux, pesant chacun près d'une demi-tonne, entrent tour à tour dans l'arène. Quatre sont combattus *à antiga portuguesa,* originale technique portugaise. Les autres sont travaillés par un matador qui ne les met pas à mort mais les domine de sa cape. Sans picadors ni «moments de vérité», ce spectacle est une variante plus aimable de la corrida espagnole.

Mais les quatre combats *à antiga,* comprenant comme au cirque parades de chevaux et rodéos, peuvent être passionnants et inoubliables. Les chevaux, la crinière décorée de rubans, sont intrépides, lestes et fringants. Les toreros, vêtus d'éclatants costumes à l'ancienne, maîtrisent superbement leur monture. Cheval et cavalier ne font qu'un pour exciter, gagner de vitesse et duper le taureau. A chaque poursuite, le *cavaleiro* (cavalier) enfonce une longue pique dans l'épaule de la bête. Lorsqu'il a planté le nombre requis de piques *(farpas),* il salue la foule de son tricorne et quitte l'arène.

Dans le second acte de chaque combat *à antiga,* l'élégance cède le pas à un affrontement téméraire. Huit jeunes gens sautent sur le sable de l'arène pour faire face au taureau. Les cornes de l'animal ont été rembourrées, mais le choc n'en reste pas moins redoutable. Ainsi, mains nues, ces audacieux *forcados* (hommes à pied) tentent de maîtriser la bête... pas toujours très coopérative!

A Lisbonne, l'arène de Campo Pequeno est un édifice victorien en briques rouges avec des arcades imitant le style mauresque et des bulbes saugrenus. L'arène de Cascais est plus grande, mais un torero n'obtient sa consécration qu'avec l'approbation des *aficionados* intransigeants du Campo Pequeno. La saison des corridas se déroule du dimanche de Pâques jusqu'au mois d'octobre. Comme en Espagne, les places à l'ombre *(sombra)* sont plus chères que celles au soleil *(sol),* mais certains combats ont lieu aussi le soir. Un coussin que vous pourrez louer à l'ouvreuse vous procurera un minimum de confort.

La vie nocturne

Même si vous n'êtes pas un amateur de boîtes de nuit, faites une exception à Lisbonne. Une sortie dans un des cabarets de *fado* d'Alfama ou de Bairro Alto s'avèrera une expérience excitante dont seule cette ville a le secret.

Une monographie documentée sur le *fado* prévient qu'il ne doit pas être chanté de jour. Voilà qui peut sembler exagéré, mais il est vrai que l'atmosphère particulière au cabaret accentue le choc. Les guitaristes sur une petite estrade commencent par «chauffer» la salle. Puis les lumières se tamisent, l'assistance se tait et un projecteur révèle une femme en noir qui élève sa plainte tragique et désespérée. Sa voix chaude et passionnée qui traduit bien le mot *saudade* (désir ardent, regret, nostalgie) vous fera sans doute frissonner d'émotion.

Si le *fado* est généralement interprété par des femmes, il arrive aussi qu'on entende un homme chanter la même plainte d'une voix forte et rauque aux accents tragiques. Deux guitares accompagnent traditionnellement l'artiste.

Le *fado* n'est pas une musique de danse – il est beaucoup trop grave pour cela – mais il arrive que des danses régionales de pêcheurs ou de bergers égayent le spectacle.

A Lisbonne, on trouve aussi des cabarets classiques où se donnent des spectacles extraordinaires, des boîtes de nuit plus intimes, des discothèques, des clubs de jazz ou des bars qui satisfairont tous les goûts.

Musique classique. L'active vie culturelle de la capitale comprend des spectacles de ballet, d'opéra, des concerts et des récitals. L'Opéra lisbonnin jouit d'une grande réputation. La Fondation Gulbenkian possède son propre orchestre symphonique et son corps de ballet. Il existe une compagnie de danse et trois autres orchestres symphoniques nationaux. Solistes et orchestres de nombreux pays viennent se produire ici. Renseignez-vous sur les programmes à la réception de votre hôtel ou à l'Office de Tourisme.

Théâtres et cinémas. La plupart des pièces sont des comédies et des revues – en portugais, bien entendu. Les cinémas passent les films étrangers en version originale sous-titrée. Le quotidien *Diário de Notícias* donne la liste complète des spectacles avec les horaires.

Le jeu. Si vous ne connaissez pas les règles des divers jeux – roulette, «banque française», baccara, dés ou vingt-et-un –, vous pourrez consulter les brochures illustrées publiées par le Casino d'Estoril. Ensuite, à vous de jouer! Le casino est ouvert de 15 h. à 3 h. du matin tous les jours (sauf le Vendredi saint et la veille de Noël). Un panneau à l'extérieur «conseille» aux hommes de porter un veston après 20 h. mais ce n'est pas une obligation. Un mot sur les pourboires: si vous gagnez, faites glisser un jeton

Les interprètes passent, mais le fado *exprime toujours la même nostalgie.*

ou deux vers le croupier. Les employés se partagent ces gratifications.

Vous pouvez aussi essayer les jeux plus populaires, comme les paris sur les matches de football – *Totobola* – ou la loterie nationale dont le tirage a lieu une fois par semaine.

La table et les vins

Faire face à des portions pantagruéliques, voilà la seule difficulté que présentent les restaurants portugais. Il est vrai qu'on s'y habitue rapidement et qu'on arrive même à trouver de la place pour le dessert.

Les passionnés de fruits de mer seront comblés. Quant à ceux qui jusque-là étaient plutôt sceptiques, la saveur des coquillages et du poisson fraîchement pêchés suffira à les convertir. Non pas que les menus du pays négligent la viande. On trouve de délicieux plats de porc et d'agneau et même d'honorables biftecks. Vous vous régalerez aussi de fruits et de légumes frais. Quant aux vins, ils sont extrêmement agréables.

Choix d'un restaurant

Des inspecteurs délégués par le gouvernement ont classé les restaurants en quatre catégories qui, en ordre décroissant, sont les suivantes: *de luxo* (de luxe), *de primeira, de segunda* et *de terceira classe.* Plus la cote de ces établissements est importante, plus les tarifs pratiqués peuvent être élevés. Un panonceau souvent placé à l'extérieur du restaurant indique la catégorie à laquelle il appartient; les menus, affichés en vitrine ou à côté de l'entrée, vous donneront une idée du choix offert et des prix. En général, les taxes et le service sont compris dans la note, mais parfois un pourboire supplémentaire de 5 à 10% vous semblera mérité. En effet, que vous choisissiez un établissement très chic ou que vous préfériez la couleur locale d'une modeste auberge de pêcheurs, vous pouvez vous attendre à un service rapide, sérieux et efficace.

Heures des repas

Le petit déjeuner *(o pequeno almoço)* est servi jusqu'à environ 10 h., le déjeuner *(o almoço)* à partir de midi jusqu'à 15 h. et le dîner *(o jantar)* de 19 h. 30 à 21 h. 30, et plus tard dans une *casa de fado*. Entre les repas, on peut prendre une collation dans une *pastelaria* (pâtisserie), un *salão de chá* (salon de thé) ou un *snack-bar* (les anglicismes ne font pas défaut à la langue de Camoens).

Le petit déjeuner

Déjeuner et dîner étant très riches, le petit déjeuner portugais est léger. Il comprend: café, pain grillé ou petits pains frais, beurre et confiture. Pour ceux qui le désirent, les hôtels servent également des jus de fruits, des œufs, du bacon, etc.

Les soupes

Les repas ont souvent une copieuse entrée:

Le *caldo verde* (soupe verte) est le potage portugais le plus typique – c'est un mélange épais de purée de pommes de terre et de chou pommé ou frisé finement découpé en lanières. On y ajoute parfois un morceau de saucisse.

La *sopa à Portuguesa* lui ressemble mais elle comprend en plus haricots, brocolis, carottes, navets et tout ce qui vient à l'esprit du chef.

La *sopa de cozido* est un riche bouillon de viandes agrémenté de chou et parfois aussi de macaronis. (Elle est souvent suivie du *cozido* – plat copieux comprenant tout ce qui a servi à la confection du bouillon: bœuf, porc, poulet, saucisses, pommes de terre, chou, ainsi que des carottes.)

Ne confondez pas la *sopa de grão* (soupe de pois chiches) et la *sopa de agrião* (velouté au cresson).

La *canja de galinha* est un potage au riz et au poulet.

Nota bene: les cuisiniers portugais sont si sûrs de leurs assaisonnements qu'on trouve rarement sel et poivre à table. Cependant, si vous demandez *«sal e pimenta, por favor»*, on vous donnera satisfaction et le chef ne se vexera pas.

Les merveilles de l'Océan

La meilleure publicité d'un restaurant est sa vitrine réfrigérée où sont exposés crevettes, crabes, huîtres, moules, bars et soles. Les restaurants de fruits de mer vendent en général les coquillages au poids et non à la portion; le prix est donné en escudos par kilogramme.

Voici quelques idées originales:

Amêijoas na cataplana: une spécialité de l'Algarve. Ce sont des moules (ou palourdes) cuites à la vapeur, avec saucisses, jambon, vin blanc, tomates, oignons et fines herbes.

Açorda de marisco: panade à l'ail épicée contenant des morceaux de fruits de mer; au moment de consommer, on ajoute des œufs crus au mélange.

Lulas recheadas: calmars tendres, farcis avec du riz, des olives, des fines herbes, de l'oignon et de la tomate.

Lampreia à Minho: une garniture de riz et une sauce au vin rouge embellissent l'ingrate lamproie. C'est un régal.

Bacalhau: la morue est le plat national portugais, bien qu'elle arrive séchée et salée, et à grands frais, des mers lointaines; c'est d'autant plus curieux que le poisson frais le plus savoureux du monde est juste à la porte du Portugal. Au dire des femmes de pêcheurs, on prépare la morue de 100, 365 ou 1000 différentes manières. Dans la recette du *Bacalhau à Gomes de Sá,* on fait cuire au four des morceaux charnus de morue avec persil, pommes de terre, oignons et olives. Puis, au moment de servir, on recouvre la préparation d'œufs durs pilés.

Le poisson frais, entier ou en filets, est en général cuit sur le gril, comme le sont les mémorables tranches de thon *(atum)* ou d'espadon *(espadarte).* Les Portugais aiment aussi le poisson préparé au court-bouillon et servi avec du chou et des pommes de terre à l'anglaise – arrosées de vinaigrette.

Les viandes

Bife na frigideira: ne vous méprenez pas; *frigideira* signifie poêle à frire. Il s'agit d'un bifteck agréablement cuit dans une sauce au vin.

Cabrito assado: chevreau cuit au four, servi avec des pommes de terre et du riz; un peu lourd mais délicieux.

Carne de porco à Alentejana: un mélange de porc et de palourdes pimenté de paprika et d'ail.

Espetada mista: brochettes de bœuf, d'agneau et de porc.

Feijoada: bien que très éloigné du riche plat national brésilien, il reste un copieux ragoût de pieds de porc, saucisses, haricots blancs et chou.

Les plats sont souvent accompagnés à la fois de riz et de pommes de terre.

Il faut signaler que les menus portugais sont souvent trompeurs quand ils utilisent, en toute bonne foi, des noms étrangers. Certains chefs fantaisistes aiment accoler à leurs recettes favorites les termes «à provençal» ou «à Yorkshire» ou d'autres expressions à résonance exotique, mais parfois le résultat n'a aucun rapport avec l'interprétation qu'en donne le code de la gastronomie.

Gibier et volailles

Le poulet – *frango* ou *galinha* – est très répandu. On le prépare de diverses manières: à la casserole dans une sauce au vin, frit, rôti ou savoureusement grillé au barbecue.

Certains restaurants servent des spécialités de gibier – *codorniz* (cailles), *perdiz* (perdrix), *lebre* (lièvre) et même *javali* (sanglier).

Les desserts

Les friandises nationales extrêmement sucrées n'emporteront peut-être pas votre adhésion. Est-il un autre endroit où l'on voit les gens sucrer une orange? Mais les gâteaux, les crèmes et les pâtisseries – en général à base de jaunes d'œufs – sont vraiment délicieux.

Le *pudim flã* – parfois écrit *flam*, *flan* ou *flão* – est une version portugaise de la crème au caramel.

Les queijadas, *délicieuses friandises du pâtissier, à Sintra.*

Arroz doce: gâteau de riz avec une pointe de cannelle.

Maçã assada: pommes au sucre cuites au four.

Pudim Molotov: personne ne sait au juste pourquoi il porte ce nom, mais c'est sûrement le dessert qui, par sa richesse, réussit le mieux à démolir un régime. Ce sont des œufs à la neige avec une crème caramélisée.

Les fromages

Aux douceurs vous préférerez peut-être les fromages. Le plus riche et le plus cher du Portugal est le *Serra da Estrela,* fromage de brebis salé originaire des plus hautes montagnes du pays. Il est doux et crémeux et d'un goût délicat. Le *Flamengo* qui apparaît souvent sur les menus ressemble à l'Edam. Certains restaurants servent en apéritif le *queijo fresco* avant même d'avoir votre commande. Ce petit fromage fait avec du lait de chèvre et de brebis est si doux qu'on y ajoute volontiers du sel et du poivre.

Et pour changer

A Lisbonne, vous pourrez découvrir une cuisine différente, peu connue et délicieuse, souvenir de l'Empire portugais. L'ancienne colonie de Goa est responsable de la popularité que connaissent au Portugal le *caril* (curry) et d'autres plats indiens. Elle a apporté son *xacuti* (prononcé et parfois même écrit *chacuti*), sa délicieuse spécialité, moins relevée toutefois que la cuisine indienne traditionnelle. Il s'agit de morceaux de poulet frit servis dans une sauce à base de poivre, coriandre, cumin, clous de girofle, cannelle, anis, safran et lait de coco, le tout accompagné de riz cuit à la vapeur. Un vrai régal!

Autre héritage de l'Empire colonial, la cuisine de Macao est présente à Lisbonne et permettra aux passionnés de mets chinois de se régaler toute une soirée de *gambas doces* (crevettes à la sauce aigre-douce) et autres spécialités.

Vins de table

Le Portugal est un de ces heureux pays où il suffit de dire au garçon *tinto* (rouge) ou *branco* (blanc) sans craindre de faire une bêtise. Tous les restaurants ont un vin de maison honorable; certains en ont d'admirables. Et si le choix entre rouge et blanc ne suffit pas, vous pouvez commander du rosé et même du vert.

Le *vinho verde* (vin vert), originaire du Nord-Ouest, est le vin portugais le plus remarquable. C'est un blanc très jeune, légèrement pétillant et absolument délicieux. Une variété moins bien connue est le vin rouge de la même région qui porte le nom invraisemblable de *vinho verde tinto* («vin vert rouge»). Tous les deux doivent être servis glacés.

Le vin rosé portugais, doux ou très sec, et légèrement pétillant se boit aussi glacé.

Le *vinho espumante*, en général doux et mousseux, est le champagne portugais, comme en témoignent les bouteilles à la forme suggestive.

Plusieurs autres régions autour de Lisbonne produisent des crus à appellation contrôlée. En voici quelques-uns:

Bucelas – vin blanc nouveau léger.

Colares – vin rouge léger de tradition.

Setúbal – vin blanc doux velouté, parfois servi en apéritif.

Au nord du Portugal, la région de Dão est réputée pour ses vins rouges corsés et ses blancs parfumés.

Autres boissons

Les deux vins portugais les plus réputés sont le porto et le madère, que l'on boit généralement au dessert, en liqueur, mais que l'on peut aussi déguster en apéritif. Avant le repas, on sert du porto blanc sec ou très sec et des madères secs, le *Sercial* et le *Verdelho*, tous à peine frappés. Après le dîner, il faut siroter un des célèbres portos rubis ou topaze ou encore un vin de liqueur de Madère, le *Boal* ou la *Malvasia* (malvoisie).

Les bières portugaises sont bonnes. Blondes ou brunes, en bouteille ou à la pression, elles sont en général servies bien glacées.

On trouve divers types d'eaux minérales, gazeuses ou non, en petites ou grandes bouteilles. Les jus de fruits peuvent être délicieux. Les boissons non alcoolisées classiques sont également répandues.

Les audacieux pourront essayer la forte eau-de-vie qu'est l'*aguardente.*

Café – thé

A la fin des repas, la plupart des Portugais prennent une *bica*, petite tasse de café noir serré. Fait curieux, un café noir allongé s'appelle ici un *carioca* – alors que les Cariocas (habitants de Rio de Janeiro) boivent leur café infiniment plus fort. Au Portugal, on connaît aussi le café-crème; servi dans un grand verre, il porte le nom de *galão,* dans un petit celui de *garoto* («petit gars»).

Le thé *(chá)* est très répandu. Il fut introduit en Occident par les explorateurs portugais.

Pour vous aider à passer votre commande...

Pourrions-nous avoir une table? **Queríamos uma mesa.**
Avez-vous un menu touristique? **Tem uma ementa turística?**

Je voudrais... **Queria...**

addition	**conta**	pommes de terre	**batatas**
beurre	**manteiga**	potage	**uma sopa**
bière	**uma cerveja**	riz	**arroz**
café	**um café**	salade	**uma salada**
couverts	**talheres**	sandwich	**uma sanduíche**
dessert	**uma sobremesa**	sel	**sal**
eau minérale	**água mineral**	serviette	**um guardanapo**
glace	**um gelado**	sucre	**açúcar**
lait	**leite**	thé	**chá**
menu	**a ementa**	viande	**carne**
pain	**pão**	vin	**vinho**
poivre	**pimenta**		

... et pour lire le menu

alperces	abricots	**laranja**	orange
ameijoas	palourdes	**linguado**	sole
azeitonas	olives	**lombo**	filet
bacalhau	morue	**lulas (à sevilhana)**	calmars (frits)
besugo	brême de mer	**maçã**	pomme
bolo	gâteau	**mariscos**	fruits de mer
borrego	agneau	**melancia**	pastèque
caranguejo	crabe	**mexilhões**	moules
cavala	maquereau	**morangos**	fraises
chouriço	chorizo, saucisse épicée	**ostras**	huîtres
coelho	lapin	**peixe**	poisson
dourada	serran	**pescada**	merluche
enguia	anguille	**pescadinha**	merlan
ervilhas	petits pois	**polvos pequenos**	poulpes
feijões	haricots	**presunto**	jambon
filete	filet de poisson	**romãs**	grenade
framboesas	framboises	**salsichão**	saucisson
frango	poulet	**uvas**	raisin
gambas	crevettes	**vagens**	haricots verts
lagosta	langouste	**vitela**	veau

BERLITZ-INFO

Comment y aller

Les informations présentées ci-après sont fournies à titre indicatif du fait de l'évolution rapide que connaît le domaine des transports, aériens en particulier. Aussi vous recommandons-nous de consulter, suffisamment à l'avance, l'agent de voyages ou la compagnie aérienne de votre choix.

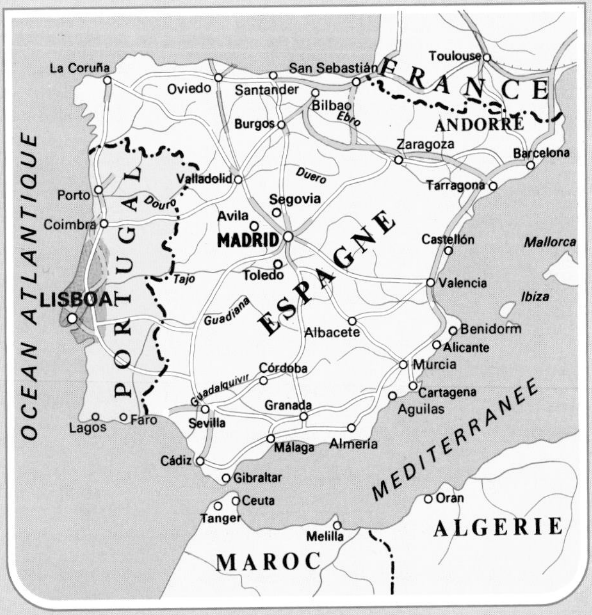

PAR AIR

Vols réguliers

Au départ de la Belgique. Vous avez deux liaisons quotidiennes entre Bruxelles et la capitale portugaise en 2 h. 45 min.

Au départ du Canada (Montréal). Il existe, chaque semaine, deux ou trois vols directs (selon la saison) à destination de Lisbonne, en 6 h. 25 ou 6 h. 35 selon les jours, ainsi qu'un service *via* Faro en 8 h.

Au départ de la France. *Paris–Lisbonne.* Il existe en saison deux, voire trois, liaisons journalières entre ces deux capitales, en 2 h. 20 min.; la ligne Paris–Porto est, d'autre part, desservie une ou deux fois par jour. *Province–Lisbonne.* Citons les lignes Lyon–Lisbonne (deux ou quatre vols par semaine), Marseille–Lisbonne (deux liaisons hebdomadaires), Nice–Lisbonne (trois ou quatre services par semaine).

Au départ de la Suisse romande. Vous avez un vol quotidien entre Genève et Lisbonne en 2 h. 30 min., ainsi qu'un service hebdomadaire, *via* Porto, entre ces deux villes (en saison, deux vols hebdomadaires supplémentaires).

Au Portugal même. Signalons les lignes Lisbonne–Porto (plusieurs vols journaliers en 45 min.) et Lisbonne–Faro (plusieurs liaisons quotidiennes en 35 min.).

Réductions et tarifs spéciaux. Les enfants (de moins de 12 ans), les jeunes (de 12 à 22 ans), les étudiants (jusqu'à 26 ans), les couples, ont droit à certaines réductions. Consultez donc votre agent de voyages!

Belgique–Portugal: Sont proposés les tarifs «excursion», valable trois mois, PEX, d'une validité de six mois, et «spécial jeunes». *Canada–Portugal:* Vous choisirez entre les tarifs «excursion», valable de sept jours à six mois, APEX (de sept jours à quatre mois) et Super APEX (de sept jours à deux mois). *France–Portugal:* Signalons les tarifs «excursion», valable trois mois, et PEX «visite», d'une validité d'un mois ainsi qu'un tarif spécial «jeune». *Suisse–Portugal:* A citer les tarifs «excursion» et PEX (avec variante «milieu de semaine»), valables trois mois. Les personnes du troisième âge bénéficient, selon les jours et les périodes choisies, d'importantes réductions.

Des charters aux voyages organisés

Les touristes canadiens noteront que de nombreux vols charter ou spéciaux desservent l'Europe occidentale (par exemple Londres ou Paris) en général et le Portugal (Lisbonne) en particulier, au départ du Canada ou de l'Est des Etats-Unis. Nous leur conseillons de se renseigner auprès de leur agent de voyages sur les programmes ABC et OTC.

Il existe par ailleurs des services charter à destination du Portugal au départ de la Belgique, de la France et de la Suisse (en été).

Lisbonne est englobée dans de nombreux tours du Portugal, de la péninsule Ibérique, voire d'Europe selon le point de départ. La formule du forfait, collectif ou «sur mesure», est généralement avantageuse. Il existe des forfaits n'offrant que le voyage en avion et l'hébergement dans un bon hôtel. D'autres proposent, outre le voyage en avion (éventuellement en car ou en train), l'hébergement en pension complète ou en demi-pension, des tours de villes et diverses excursions. D'autre part, certaines compagnies aériennes proposent des voyages *Fly-Drive* (avion + auto) à Lisbonne; il en existe diverses formules, renseignez-vous à ce sujet.

PAR ROUTE

Au départ de Bruxelles. L'itinéraire le plus commode vous fait passer par Paris, Bordeaux, Bayonne, Burgos, Valladolid, Salamanque, Guarda, Coimbra. Lisbonne est ainsi à 2080 km. environ de Bruxelles (environ 1200 km. sur autoroute).

Au départ de Paris. Vous gagnerez Poitiers et Bordeaux par l'autoroute, puis vous poursuivrez par Bayonne, Burgos, Valladolid, Salamanque, Guarda et Coimbra. Comptez quelque 1780 km., dont 900, approximativement, sur autoroute.

Au départ de Genève. Une route longue de 2015 km. environ, et qui vous fera passer par Annecy, Chambéry, Valence, Orange, Nîmes, Narbonne, Perpignan, Barcelone, Saragosse, Madrid, Badajoz et Setúbal. (Autoroute quasi continue de Genève à Saragosse; de Saragosse à Lisbonne, il n'existe encore que quelques tronçons autoroutiers.) Autre itinéraire par Lyon, Clermont-Ferrand, Brive, Périgueux, Bordeaux, Bayonne, Burgos, Valladolid, Salamanque, Guarda, Coimbra; 1970 km. au total.

Services d'autocars. Paris ou Bruxelles–Burgos, Genève–Lisbonne, Genève–Porto.

PAR RAIL

Au départ de Bruxelles. Il n'existe pas de liaison directe entre les capitales belge et lusitanienne. La meilleure solution consiste à aller prendre à Paris le train de Lisbonne.

Au départ de Paris. Le *Sud-Express* achemine des voitures directes (voitures-lits de 1re classe), malgré la différence d'écartement entre les réseaux français, espagnol et portugais. Le voyage demande à peu près 26 h. Une autre solution consisterait à prendre le *Talgo* Paris–Madrid, puis un autre rapide de Madrid à Lisbonne (durée du trajet: un peu plus de 24 h.).

Au départ de Genève. Des voitures directes (places couchées) circulent entre Genève (ou Lyon, selon les jours) et Irún, et entre Irún et Lisbonne. *Services «Voyageurs avec automobiles».* Des Trains Autos Couchettes circulent (en saison) entre: Paris et Lisbonne, Paris et Biarritz. Autres services: Amiens–Biarritz, Metz–Biarritz, Strasbourg–Biarritz; Bruxelles–Biarritz, Paris–Madrid.

Renseignez-vous sur les diverses facilités tarifaires qui vous sont offertes. L'*Eurailpass* et l'*Eurail Youthpass* sont réservés aux touristes non européens. L'*Inter-Rail* (2e classe) est destiné aux jeunes de toute nationalité jusqu'à 26 ans. Les cartes *Rail Europ «Senior»* et *Rail Europ «Famille»* sont valables au Portugal, de même que les Billets internationaux pour jeunes *(BIGE/BIJ).* Au Portugal même, un billet touristique permet de circuler librement pendant sept, quatorze ou vingt-et-un jours.

Quand y aller

Le Portugal jouit, d'un bout à l'autre de l'année, d'une relative stabilité thermique. L'hiver se montre très doux, et plutôt humide; le printemps et l'automne, tièdes et ensoleillés, constituent les meilleures saisons pour séjourner à Lisbonne. La saison balnéaire, dans la région de la capitale portugaise, va de juin à octobre: vous goûterez un été prolongé, très ensoleillé mais modérément chaud.

Température moyenne de l'air, relevée à Lisbonne (en degrés C):

J	F	M	A	M	J	J	A	S	O	N	D
11	12	14	16	18	21	23	23	22	19	15	12

Température moyenne de l'eau, relevée à Estoril:

J	F	M	A	M	J	J	A	S	O	N	D
13	13	14	15	16	17	17	17	17	17	16	14

Pour équilibrer votre budget...

Nous vous donnons ci-dessous une liste de prix moyens qui vous permettra d'apprécier le coût de la vie au Portugal. Exprimés en escudos (ESC), ces prix n'ont toutefois qu'une valeur indicative.

Aéroport (transferts). *Bus* jusqu'aux gares de Cais do Sodré ou de Santa Apolónia ESC 100, bus «Linha verde» aéroport–gare de Santa Apolónia ESC 200. *Taxi* jusqu'à la Praça Marquês de Pombal ESC 400, à Cais do Sodré ESC 500 (supplément de 50% si le poids des bagages excède 30 kg).

Cigarettes (paquet de 20). Marques portugaises à partir ESC 135 et plus, étrangères ESC 275 et plus.

Coiffeurs. *Dames:* coupe ESC 600, shampooing et mise en plis ESC 750 et plus, manucure ESC 250 et plus (certains salons demandent moins). *Messieurs:* coupe ESC 600 et plus, shampooing ESC 350 et plus.

Distractions. Corrida ESC 1000 et plus, cinéma ESC 350, discothèque ESC 1500 et plus, *fado* ESC 1500 et plus.

Gardes d'enfants. ESC 800 l'heure; ESC 1200 au-delà de minuit.

Guides. ESC 7500 la demi-journée, ESC 14 500 la journée.

Hôtels (chambre double avec bains, par nuit). ***** ESC 22 000–38 000, **** ESC 16 500, *** ESC 7000, ** ESC 4000, * ESC 3000. *Pensions* ESC 2500.

Location de voitures (compagnie internationale). *Morris Mini 1000* (2 portes) ESC 2900 par jour, ESC 32 le km, ESC 41 300 par semaine avec kilométrage illimité. *Renault 5 TL* ESC 3500 par jour, ESC 35 le km, ESC 57 400 par semaine avec kilométrage illimité. *Ford Escort 1.3 L* (5 portes) ESC 4500 par jour, ESC 45 le km, ESC 59 400 par semaine avec kilométrage illimité. Taxe de 17% en sus.

Repas et boissons. Petit déjeuner ESC 300 et plus, déjeuner ou dîner dans un bon établissement ESC 1500 et plus, café ESC 40 et plus, bière ESC 70 et plus, eau-de-vie portugaise ESC 90 et plus, gin tonic ESC 350 et plus, bouteille de vin «du patron» ESC 250 et plus.

Taxis. Prise en charge ESC 80, ESC 6 les 40 mètres ou équivalent en temps. De la Praça Rossio au musée Gulbenkian ESC 300 environ, à Belém ESC 500 environ. Supplément de 20% entre 22 h et 8 h.

Transports publics. Métro ESC 35 (distributeurs), 10 billets ESC 320; bus ESC 100, tram ESC 85, 20 billets ESC 460. Carte touristique (parcours illimité sur l'ensemble du réseau des transports urbains) valable 4 jours ESC 925, 7 jours ESC 1350.

Informations pratiques classées de A à Z pour un voyage agréable

Une étoile (*) accolée à un titre de rubrique renvoie à la page 105 pour une indication de prix. Les titres des «entrées» importantes sont suivis d'une traduction en portugais, en général au singulier. D'autre part, des expressions et des mots clefs, présentés à la fin de certaines rubriques, vous rendront service lorsque vous voudrez demander de l'aide ou solliciter un renseignement.

A

AEROPORT* *(aeroporto).* L'aéroport de Lisbonne (appelé aussi Portela, du nom du faubourg où il est situé) se trouve à 15 minutes en voiture du centre de la capitale, quand la circulation est fluide. A l'arrivée, les voyageurs auront à leur disposition une banque, des agences de location de voitures, un Office du Tourisme, sans oublier des porteurs et des chariots à bagages. Ceux qui partent pourront faire des achats de dernière minute dans les magasins de souvenirs et les boutiques hors-taxes. L'aérogare abrite aussi des bars et un restaurant.

Pour vous rendre en ville, outre les taxis – qui sont nombreux (voir TAXIS) –, vous pouvez prendre les autobus 44 et 45 à destination de la gare Cais do Sodré (en abrégé «C. Sodré») qui partent tous les quarts d'heure dans la journée et toutes les 25 minutes le matin de bonne heure et tard le soir. Ils passent par le centre de la ville, notamment par la place du Rossio. A la gare Cais do Sodré, les autobus à destination de l'aéroport portent l'indication «Moscavide» (44) et «Prior Velho» (45). Signalons enfin que des autobus verts (Linha Verde) relient l'aéroport à Santa Apolónia.

Pour obtenir des renseignements sur les heures de vol, téléphonez au 802060; le numéro de téléphone principal de l'aéroport est le 881101.

Où est le bus pour l'aéroport/ le centre de Lisbonne?	**Onde posso apanhar o autocarro para o aeroporto/para o centro da cidade?**

AMBASSADES – voir **CONSULATS**

AUBERGES DE JEUNESSE *(pousadas de juventude).* Les jeunes touristes âgés d'au moins 14 ans et membres d'une association nationale ou internationale d'auberges de jeunesse pourront être hébergés pour un prix très modique. Au Portugal, les auberges de jeunesse sont ouvertes aux jeunes de 14 à 21 ans et aux adultes de 22 à 40 ans. Les parents avec enfants de moins de 14 ans sont acceptés en fonction de la place disponible, mais la préférence est toujours donnée aux personnes dans les limites d'âge requises. Pour tous renseignements, vous pouvez contacter l'Associação Portuguesa de Pousadas de Juventude, 46 Rua Andrade Corvo, 1000 Lisbonne, tél. 57 10 54.

AUTOBUS – voir **TRANSPORTS PUBLICS**

AUTO-STOP. A l'exception des autoroutes (et voies express) sur lesquelles il est interdit, l'auto-stop ne devrait pas poser de problèmes. Cette pratique se répand de plus en plus au Portugal.

Pouvez-vous nous emmener à...?	**Pode levar-nos a...?**

BANQUES et BUREAUX DE CHANGE *(banco; câmbio).* Seules les banques sont habilitées à faire des opérations de change; c'est pourquoi, dans les régions touristiques, certaines d'entre elles restent ouvertes plus tard, ainsi que les week-ends. Les banques ouvrent habituellement de 8 h. 30 à 11 h. 45 et de 13 h. à 14 h. 30 ou 14 h. 45, du lundi au vendredi. A l'aéroport, le bureau de change ne ferme qu'à 23 h.; celui de la gare ferroviaire de Santa Apolónia fonctionne sans interruption de 9 h. à 21 h.; sur la Praça dos Restauradores, enfin, une banque ouvre de 18 h. à 23 h., à l'intention des touristes. N'oubliez pas de prendre votre passeport pour changer des chèques de voyage.

Je désire changer des francs français/belges/suisses/ des dollars canadiens.	**Queria trocar francos franceses/ francos belgas/francos suiços/ dólares canadianos.**
Changez-vous les chèques de voyage?	**Pode pagar um cheque de viagem?**

BATEAUX. Les deux principales gares maritimes, la Sul e Sueste (le plus grand bâtiment) et l'Alfândega, se trouvent l'une à côté de l'autre. La première ne dessert que Seixal et Barreiro d'où l'on peut prendre le train à destination du Sud (voir aussi TRAINS).

D'Alfândega, les bateaux assurent le service avec Cacilhas/Almada et Montijo. On peut aussi prendre le bateau pour Cacilhas/Almada à la gare maritime de Cais do Sodré, près de la gare ferroviaire du même nom. De Belém, vous pouvez vous rendre à Trafaria ou Porto Brandão avec les bateaux qui partent de la gare Transtejo E.P. (les billets sont vendus à bord).

De juillet à septembre, un service de 4 navettes par jour est assuré

B entre Sesimbra, Setúbal et la péninsule de Tróia, ainsi que des passages fréquents par aéroglisseur entre Tróia et Setúbal.

BLANCHISSERIE et TEINTURERIE *(lavandaria; tinturaria).* Il existe dans Lisbonne et ses environs des laveries automatiques dont vous trouverez la liste dans les pages jaunes de l'annuaire téléphonique, à la rubrique *lavandarias e tinturarias.* Elles ouvrent de 9 h. à 13 h. et de 15 h. à 19 h. pendant la semaine, et de 9 h. à midi le samedi. Il n'en existe pas au centre même de la capitale.

La plupart des teintureries demandent un délai de 3 à 4 jours pour le nettoyage des vêtements, à l'exception de celle du centre commercial du Rossio, qui, le cas échéant, assure un service du jour au lendemain.

Quand est-ce que ce sera prêt?	**Quando estará pronto?**
J'en ai besoin demain matin.	**Preciso disto para amanhã de manhã.**

C **CAMPING.** Le Portugal possède environ 70 terrains de camping, pour la plupart situés près des plages et des monuments historiques. On en trouve plusieurs dans la région de Lisbonne, comme celui du parc Monsanto, bois charmant dans l'agglomération même de la capitale. Du point de vue des équipements, la gamme va du plus simple au plus sophistiqué (avec piscine, courts de tennis, bars et restaurants).

Pour pouvoir s'installer sur un terrain de camping officiel, il faut présenter son passeport et, dans certains endroits, une carte d'adhérent à une association nationale ou internationale de camping. Le camping sauvage n'est pas toléré, que ce soit sur les plages, dans les agglomérations ou dans les lieux publics.

Vous obtiendrez tous les renseignements utiles en vous adressant à l'Office du Tourisme, qui délivre une excellente brochure, ou à la Federação Portuguesa de Campismo, 1 Rua Voz do Operário, 1000 Lisboa, tél. 86 23 50.

Pouvons-nous camper ici?	**Podemos acampar aqui?**
Nous avons une caravane.	**Nós temos uma roulotte.**

CARTES et PLANS. L'Office du Tourisme délivre gratuitement des brochures en français contenant un plan de Lisbonne et une carte des environs. Les librairies et les kiosques à journaux vendent des cartes plus détaillées publiées par des éditeurs portugais ou étrangers, comme Falk-Verlag, à Hambourg qui a réalisé la cartographie de ce guide. L'Automóvel Clube de Portugal vient de publier un plan très complet de la ville.

un plan de Lisbonne	**uma planta de Lisboa**
une carte routière du Portugal	**um mapa das estradas de Portugal**

CARTES DE CREDIT *(cartão de crédito).* Les cartes internationales les plus courantes sont acceptées dans les principaux hôtels, restaurants et autres établissements de tourisme, ainsi que dans les grands garages et les agences de location de voitures. Cependant, si vous circulez dans l'arrière-pays, ne comptez pas trop pouvoir les utiliser.

Puis-je payer avec cette carte de crédit?	**Posso pagar com cartão de crédito?**

CHANGE – voir **BANQUES**

CHEQUES DE VOYAGE – voir **BANQUES**

CIGARETTES, CIGARES, TABAC* *(cigarros, charutos, tabaco).* Les cigarettes importées d'Europe et des Etats-Unis sont environ deux fois plus chères que les marques portugaises correspondantes.

Les bureaux de tabac vendent aussi une importante gamme de cigares et de tabacs à pipe de marques portugaises ou étrangères.

Il est interdit de fumer dans les théâtres et les cinémas, dans les stades fermés, les autobus, les trams et le métro. En revanche, dans les autocars interurbains et les trains, on peut fumer à sa guise.

Un paquet de cigarettes/ une boîte d'allumettes.	**Um maço de cigarros/ uma caixa de fósforos.**
avec filtre	**filtro**
sans filtre	**sem filtro**

CIREURS DE CHAUSSURES *(engraxador).* Dans la plupart des hôtels, on cirera vos chaussures si vous les laissez le soir devant la porte de votre chambre. En ville, vous pouvez vous rendre dans une échoppe de cireurs. Mais, les cireurs ambulants ne manqueront pas de vous repérer dans les cafés si vos souliers sont poussiéreux.

COIFFEURS* POUR DAMES *(cabeleireiros),* **BARBIERS** *(barbeiros).* Comme dans toutes les villes, les prix sont nettement moins chers chez les coiffeurs de quartier que dans les salons ultrachics.

En ce qui concerne le pourboire, se reporter à la page 120.

C Les expressions suivantes vous seront utiles:

shampooing et mise en plis	**lavar e mise**
coupe/au rasoir	**corte/à navalha**
permanente	**permanente**
coloration	**uma rinsage**
nuancier	**um mostruário de cores**
brushing	**brushing**
manucure	**manicura**
rasage	**barba**
Pas trop court (ici).	**Não corte muito (aqui).**
Un peu plus court (ici).	**Corte mais um pouco (aqui).**

CONDUIRE AU PORTUGAL. Si vous venez au Portugal avec votre voiture, il vous suffit d'avoir un permis de conduire national, un permis de circulation du véhicule (carte grise) et (à conseiller bien qu'elle ne soit pas obligatoire) une police d'assurance. La formule habituelle est la carte verte qui valide votre assurance à l'étranger.

Règles de circulation: elles sont les mêmes que dans les autres pays d'Europe. Vous êtes tenu d'attacher votre ceinture de sécurité lorsque vous circulez dans et hors des agglomérations. En ville, vous devez laisser passer les piétons aux passages cloutés – mais si vous êtes à pied, ne misez pas trop sur cette priorité!

Limitations de vitesse: 120 km/h. sur les autoroutes, 110 sur les routes principales et 60, à moins d'indication particulière, dans les agglomérations. Sur le Ponte 25 de Abril, qui enjambe le Tage, des allures maximale (60 km/h.) et minimale (40) sont imposées. D'autre part, la vitesse limite pour les véhicules tractant une caravane est de 70 km/h. sur les autoroutes ou les routes ouvertes et de 50 km/h. dans les localités.

Stationnement: sauf indication particulière, vous pouvez stationner aussi longtemps que vous le désirez. Autrement, un panneau vous indiquera la durée maximale du stationnement. Il existe aussi des parkings et des garages.

Pannes: si vous appartenez à une association automobile affiliée à l'Automóvel Clube de Portugal, vous pouvez bénéficier gratuitement de ses services d'assistance technique d'urgence. Par ailleurs, la plupart des garages sont équipés pour faire les réparations classiques. Voir URGENCES.

 Signalisation routière: les signaux routiers internationaux sont utilisés au Portugal. Cependant, vous rencontrerez aussi des panneaux avec des inscriptions en portugais. Voici la traduction des plus courants:

Alto	Stop
Cruzamento	Carrefour
Curva perigosa	Virage dangereux
Descida íngreme	Forte pente
Desvio	Déviation
Encruzilhada	Carrefour
Estacionamento permitido	Stationnement autorisé
Estacionamento proibido	Interdiction de stationner
Guiar com cuidado	Prudence
Obras	Travaux
Paragem de autocarro	Arrêt d'autobus
Pare/stop	Stop
Passagem proibida	Passage interdit
Pedestres, peões	Piétons
Perigo	Danger
Posto de socorros	Poste de secours
Proibida a entrada	Entrée interdite
Saída de camiões	Sortie de camions
Seguir pela direita/esquerda	Serrez à droite/à gauche
Sem saída	Sans issue
Sentido proibido	Sens interdit
Sentido único	Sens unique
Silêncio	Silence
Trabalhos	Travaux
Trânsito proibido	Circulation interdite
Veículos pesados	Poids lourds
Velocidade máxima	Vitesse limitée

Sommes-nous sur la route de...?	**É esta a estrada para...?**
Le plein de super, s'il vous plaît.	**Encha o depósito de super, por favor.**
Veuillez vérifier l'huile/les pneus/la batterie, s'il vous plaît.	**Verifique o óleo/os pneus/ a bateria, se faz favor.**
Ma voiture est en panne.	**O meu carro está avariado.**
Il y a eu un accident.	**Houve um acidente.**

CONSULATS et AMBASSADES *(consulado; embaixada)*

Belgique – ambassade: 14 Praça Marquês de Plombal, 6º, tél. 54 92 63.

France – consulat: 123 Calçada Marquês de Abrantes, tél. 60 81 31/33.

C

Luxembourg – ambassade: Rua das Janelas Verdes 43, tél. 66 25 44.

Suisse – ambassade: 1 Travessa do Patrocínio, tél. 67 31 21/22.

Canada – ambassade/consulat: 2 Rua Rosa Araújo, 6°, tél. 56 38 21.

Où est le consulat (l'ambassade) de France/de Belgique/de Suisse/ du Luxembourg/du Canada?	**Onde é o consulado (a embaixada) francês/belga/suíço/ luxemburgese/canadiano?**

COURRIER. Si votre future adresse vous est encore inconnue, faites expédier votre courrier à la poste restante de votre ville de destination. Pour Lisbonne, le mieux est de spécifier l'adresse de la grande poste:

Mme Jeanne Dubois, Posta Restante
Praça dos Restauradores 58, 1200-Lisboa, Portugal

Munissez-vous de votre passeport pour retirer votre courrier au guichet *posta restante.* Vous aurez à payer une légère taxe pour chaque lettre.

Avez-vous du courrier pour...?	**Tem correio para...?**

D

DECALAGE HORAIRE. Le Portugal vit en hiver à l'heure GMT. Le pays ayant adopté l'horaire d'été, les Lusitaniens avancent leurs montres d'une heure du premier dimanche d'avril au premier dimanche d'octobre. Ainsi, en été, lorsqu'il est midi à Lisbonne, il est 13 h. à Paris, à Bruxelles et à Genève; il est midi à Alger, 11 h. à Rabat et 7 h. à Montréal.

Quelle heure est-il, s'il vous plaît?	**Que horas são, por favor?**

DELITS et VOLS *(delito; roubo).* Il est toujours plus prudent de laisser vos objets de valeur dans le coffre de votre hôtel. En cas de vol, prévenez la réception, le poste de police voisin ou le bureau local de l'Office du Tourisme. Dans la rue, il est recommandé de serrer son sac sous le bras, côté trottoir, les agressions étant de plus en plus fréquentes. Les voleurs à la tire sont nombreux, notamment dans les cafés de la place du Rossio, dans le quartier d'Alfama et dans les autres lieux fréquentés par les touristes.

Je voudrais déclarer un vol.	**Quero participar um roubo.**

DOUANE *(alfândega)* **et FORMALITES D'ENTREE.** Voir aussi CONDUIRE AU PORTUGAL. A votre arrivée à l'aéroport, empruntez le couloir vert si vous n'avez rien à déclarer, le passage rouge dans le cas contraire. Le tableau ci-après vous indique ce que vous pouvez importer au Portugal et rapporter dans votre propre pays en franchise:

Entrée au (en):	Cigarettes	Cigares	Tabac	Alcool	Vin
Portugal [1]	300 ou	75 ou	400 g	1,5 l et	5 l
Portugal [2]	200 ou	50 ou	250 g	1 l et	2 l
Belgique	200 ou	50 ou	250 g	1 l et	2 l
Canada	200 et	50 et	900 g	1,1 l ou	1,1 l
France	300 ou	75 ou	400 g	1,5 l et	5 l
Luxembourg	200 ou	50 ou	250 g	1 l et	2 l
Suisse	200 ou	50 ou	250 g	1 l et	2 l

[1] En provenance d'un pays de la CEE.
[2] En provenance d'un pays hors de la CEE.

Outre vos effets personnels, vos bijoux et une petite quantité de parfum, vous avez le droit d'apporter un appareil photo, une caméra, des jumelles, une radio portative.

Prescriptions monétaires: il n'y a pas de restriction à l'importation de devises étrangères ou d'escudos portugais. Cependant, toute somme excédant l'équivalent de 100 000 escudos en monnaie étrangère doit être déclarée à l'arrivée. Quand vous quittez le pays, vous pouvez sortir l'équivalent de la somme importée et déclarée en monnaie étrangère. Il n'est pas possible d'exporter plus de 50 000 escudos en monnaie locale, par personne et par voyage.

Formalités d'entrée: pour entrer au Portugal, il suffit de présenter une carte d'identité ou un passeport dont la durée de validité est échue depuis moins de cinq ans (les Belges, les Français, les Luxembourgeois ou les Suisses) ou un passeport valide, sans visa (les Canadiens).

Aucun certificat de santé n'est demandé aux personnes résidant en Europe ou en Amérique du Nord. Cependant, il arrive qu'on exige un certificat de vaccination antivariolique des voyageurs en provenance de pays africains ou asiatiques. Le mieux est, en cas de doute, de se renseigner dans une agence de voyages.

Ajoutons, enfin, que la durée du séjour au Portugal est limitée à deux mois pour les touristes.

Je n'ai rien à déclarer.	**Não tenho nada a declarar.**
C'est pour mon usage personnel.	**É para uso pessoal.**

G

GARDES D'ENFANTS* *(babysitter).* Les touristes peuvent demander une garde d'enfants à l'Hospedeiras de Portugal (tél. 60 43 54) ou à toute autre agence indiquée à la rubrique *babysitters* dans les pages jaunes de l'annuaire téléphonique. Il faut réserver avant 18 h. pour le soir même, mais il est plus prudent de téléphoner la veille. Pour les fins de semaine, la réservation doit être faite le vendredi avant 18 h. La réception de votre hôtel sera aussi en mesure de vous trouver une garde.

GUIDES* et INTERPRETES. Pour obtenir un guide ou un interprète, on peut s'adresser soit à l'Office du Tourisme, soit directement à l'Association Professionnelle des Guides située 4 Rua do Telhal, Lisbonne 3°, tél. 36 71 70, de 9 h. à 13 h. et de 14 h. 30 à 18 h. Tous les guides doivent faire partie de cette association.

Pour les circuits guidés de la ville, à la journée ou à la demi-journée, renseignez-vous auprès des bureaux de l'Office du Tourisme ou dans les agences de voyages.

H

HABILLEMENT *(roupa).* A moins de venir à Lisbonne par un hiver exceptionnellement froid, vous n'aurez pas à vous habiller chaudement. La plupart des Lisbonnins n'ont jamais vu la neige; en général, la température ne descend au-dessous de 0° qu'une ou deux fois par an. Le printemps et l'automne sont relativement doux; aussi un lainage vous suffira-t-il probablement durant la journée. Les étés peuvent être très chauds, mais glissez dans vos bagages un lainage ou un châle, en prévision de soirées fraîches ou venteuses ainsi qu'un imperméable.

Le formalisme vestimentaire s'est considérablement relâché à Lisbonne. Pratiquement aucun établissement n'exige le port d'une cravate. Si le casino d'Estoril «conseille» aux hommes de mettre un veston le soir, il ne l'impose pas; les femmes, cependant, portent souvent une robe longue.

HEURES D'OUVERTURE *(horas de abertura).* En général, les magasins et les bureaux sont ouverts de 9 h. à 13 h. et de 15 h. à 19 h. pendant la semaine et de 9 h. à 13 h. le samedi. Les musées sont fermés le lundi ainsi que les jours fériés, et les palais les lundi et mardi. Tous les autres jours (y compris le dimanche), ils ouvrent de 11 h. à 17 h.

Voir aussi BANQUES.

H

HOTELS* **et LOGEMENT.** A l'exception des *hotéls rurais,* gérés par des familles, les hôtels sont classés en catégories, de 2 étoiles à 5 étoiles (luxe). Les auberges *(estalagem)* et les pensions *(pensão)* sont les établissements les plus modestes. Les palaces ont boîte de nuit, restaurant, piscine, sauna, etc. Mais sachez que, pour une petite partie du prix que pratiquent ces hôtels, vous pouvez avoir une chambre à deux lits avec salle de bains dans une simple *pensão.*

Les *pousadas* (semblables aux *paradores* espagnols) sont des établissements hôteliers gérés par l'Etat et installés dans de magnifiques châteaux, palais, couvents et autres lieux historiques, ou bien construits dans des régions isolées, afin de familiariser les touristes avec les traditions diverses du pays. Là, une attention particulière est apportée à la cuisine et aux vins régionaux ainsi qu'à l'architecture et à l'artisanat local. Vous pouvez demander la liste de ces établissements à l'Office du Tourisme.

On peut aussi louer des chambres chez des particuliers *(turismo de habitação);* ce sont souvent d'anciennes propriétés, ou des fermes en activité, dans des régions où les hôtels sont rares. Dans certains cas, on ne propose que la chambre et le petit déjeuner, dans d'autres, le client peut opter pour la demi-pension ou la pension complète et avoir droit à la jouissance de toutes les installations permettant la pratique du tennis, de l'équitation ou de tout autre sport. L'Office du Tourisme vous donnera de plus amples détails.

Lorsque vous arrivez dans un hôtel ou une auberge, on vous remet un formulaire indiquant les conditions, le prix et le numéro de votre chambre. Le petit déjeuner est compris dans le prix de la chambre.

Voir aussi AUBERGES DE JEUNESSE.

une chambre à 2 lits/à un lit avec/sans salle de bains	**um quarto duplo/simples** **com/sem banho**
Quel est le prix pour une nuit?	**Qual o preço por noite?**

J

JOURNAUX et REVUES *(jornal; revista).* Les grands quotidiens européens sont régulièrement en vente le jour même de leur parution chez de nombreux marchands de journaux et dans beaucoup d'hôtels. Boutiques et kiosques reçoivent aussi les revues étrangères les plus connues. Pour prendre connaissance des spectacles de cinéma et de théâtre, il suffit d'acheter un quotidien portugais. Le *Diário de Notícias* donne une liste complète des programmes.

Avez-vous des journaux en français?	**Tem jornais em francês?**

J **JOURS FERIES** *(feriado)*

1er janvier	*Ano Novo*	Nouvel An
25 avril	*Dia da Liberdade*	Fête de la Liberté
1er mai	*Festa do Trabalho*	Fête du Travail
10 juin	*Dia de Portugal*	Fête nationale
15 août	*Assunção*	Assomption
5 octobre	*Heróis da República*	Fête de la République
1er novembre	*Todos-os-Santos*	Toussaint
1er décembre	*Rua da Independencia*	Fête de l'Indépendance
8 décembre	*Imaculada Conceição*	Immaculée Conception
25 décembre	*Natal*	Noël
Fêtes mobiles:	*Carnaval*	Carnaval
	Sexta-feira Santa	Vendredi saint
	Corpo de Deus	Fête-Dieu

Outre ces jours fériés observés dans l'ensemble du Portugal, il en existe beaucoup d'autres propres à chaque région et à divers secteurs de l'économie. Par exemple, Lisbonne fête la Saint-Antoine, le 13 juin.

L **LANGUE.** Le portugais, langue latine, est aussi parlé au Brésil et à Macao. L'espagnol que vous avez appris au lycée vous permettra de comprendre panneaux et menus, mais ne vous dévoilera pas les mystères de la langue parlée. La plupart des Portugais comprennent l'espagnol. Les enfants étudient l'anglais à partir de 10 ans et le français dès 13 ans.

Notre manuel Berlitz LE PORTUGAIS POUR LE VOYAGE vous aidera à vous tirer de toutes les situations pendant votre séjour au Portugal. Ne partez pas non plus sans le dictionnaire de poche Berlitz PORTUGAIS-FRANÇAIS/FRANÇAIS-PORTUGAIS qui comporte en supplément un lexique gastronomique.

Voici quelques mots utiles:

Bonjour	**Bom dia**
Au revoir	**Adeus**
Merci	**Obrigado** (fém. **obrigada**)
S'il vous plaît	**Por favor**
Oui/Non	**Sim/Não**
Quelqu'un parle-t-il français?	**Alguém fala francês?**
Je ne parle pas portugais.	**Não falo português.**

LOCATION DE VOITURES* *(carros de aluguer)*. Il existe des agences de location internationales et portugaises à Lisbonne et dans les principales régions touristiques. Pour louer une voiture, vous devez avoir 21 ans au minimum (25 dans certaines agences) et être titulaire d'un permis de conduire depuis un an au moins. La présentation d'une carte de crédit agréée dispense du versement de la caution. **L**

L'assurance au tiers est comprise dans le tarif de base de location, mais on peut contracter une assurance complémentaire pour couvrir les risques de collision et d'accidents.

Je voudrais louer une voiture aujourd'hui/demain.	**Queria alugar um carro para hoje/amanhã.**
pour un jour/une semaine	**por um dia/uma semana**
Veuillez inclure l'assurance tous risques, s'il vous plaît.	**Que inclua um seguro contra todos os riscos, por favor.**

LOGEMENT – voir **HOTELS** et **AUBERGES DE JEUNESSE**

METRO – voir **TRANSPORTS PUBLICS** **M**

MONNAIE *(moeda)*. Ne soyez pas impressionné par les étiquettes de prix qui alignent de nombreux chiffres ponctués du signe $. Ici, il signifie *escudo* (ESC en abrégé), et non pas dollar; il remplace normalement la virgule (ainsi 5000$00 veut dire 5000 escudos).

L'escudo est divisé en 100 *centavos*.

Pièces: si le touriste n'a que rarement l'occasion de voir des pièces de 10 ou de 20 centavos, celle de 50 centavos (dénommée *cinco tostões,* en argot) est courante, de même que celles de 1, de 2½, de 5, 20, 25 et 50 escudos.

Billets: 100, 500, 1000 (coupure équivalant à un *conto*) et 5000 escudos.

Prescriptions monétaires, voir DOUANE ET FORMALITÉS D'ENTRÉE.

OBJETS PERDUS *(objectos perdidos)*. La police dispose d'un bureau spécial des objets perdus, 56 Rua dos Anjos (tél. 320042/43). Toutefois, si la perte s'est produite dans un bus ou un tram, adressez-vous au bureau des objets trouvés des transports publics, situé au pied de l'ascenseur de Santa Justa, près de la gare du Rossio. **O**

J'ai perdu mon portefeuille/sac à main/passeport.	**Perdi a minha carteira/mala/passaporte.**

O **OFFICES DU TOURISME.** Il existe des délégations de l'Office National du Tourisme du Portugal dans une bonne dizaine de grandes villes étrangères. Voici quelques adresses utiles:

Belgique:	50, rue Ravenstein, 1000 Bruxelles, tél. (02) 513 27 36, 511 08 80.
Canada:	500 Sherbrooke 0, suite 930, Montréal P.Q. H3A 3C6; tél. (514) 843 46 23.
France:	7, rue Scribe, 75009 Paris, tél. 47 42 82 74 ou 47 42 99 10.
Suisse:	50, quai G.-Ador, 1207 Genève, tél. (022) 786 14 60.

A Lisbonne même, le bureau central de l'Office National du Tourisme (Direcção-Geral do Turismo) se situe au 86 de l'avenue António Augusto de Aguiar, 1000 Lisbonne, tél. 57 50 91; un personnel polyglotte répondra à vos questions, vous conseillera et vous remettra brochures et cartes.

Vous pourrez aussi vous adresser à l'Office du Tourisme de Lisbonne (Posto de Turismo da Câmara Municipal de Lisboa), situé à la même adresse. Pour obtenir des informations en français par téléphone, composez le 32 52 31.

Où se trouve l'office du tourisme?	**Onde fica o oficio do turismo?**

OFFICES RELIGIEUX *(serviço religioso).* La plupart des Portugais sont catholiques romains. Vous n'aurez donc aucun problème à suivre une messe à Lisbonne. Adressez-vous au réceptionniste de votre hôtel qui sera sans aucun doute à même de vous fournir les adresses des sanctuaires où sont célébrés messes ou cultes protestants.

Culte israélite: La synagogue Shaare Tikva est située 59 Rua Alexandre Herculano, tél. 65 86 04.

A quelle heure est la messe/ le culte?	**A que horas é a missa/o culto?**

P **PHARMACIES** – voir **SOINS MEDICAUX**

PHOTOGRAPHIE *(fotografia).* Les grandes marques de films (dans tous les formats) sont vendues chez les photographes et dans les kiosques à journaux des hôtels. Le développement de certains films en couleurs ou en noir et blanc demande deux à trois jours; pour d'autres, qui doivent être envoyés à l'étranger, le délai est plus long.

A l'exception d'installations susceptibles d'être couvertes par le secret militaire, vous pouvez photographier ou filmer à votre guise.

Je voudrais un film pour cet appareil.	**Quero um rolo para esta máquina.**
un film en noir et blanc	**um rolo a preto e branco**
un film en couleurs	**um rolo a cores**
un film pour diapositives	**um rolo de diapositivos a cores**
un film 35 mm.	**um rolo de trinta e cinco milímetros**
un film Super-8	**um rolo super oito**
Combien de temps vous faut-il pour développer ce film?	**Quanto tempo leva a revelar este filme?**
Puis-je prendre une photo?	**Posso tirar uma fotografia?**

POLICE *(polícia)*. La police nationale, armée, en uniforme gris ou bleu, maintient l'ordre public et surveille la circulation à Lisbonne. Les agents portent un brassard rouge sur lequel est inscrite la lettre «T» couleur argent. Quand ils s'occupent exclusivement de la circulation des voitures, ils ont un casque et des gants blancs. Sur les grandes routes, ce sont les policiers de la Guarda Nacional Republicana qui supervisent la circulation. Ils se déplacent en voitures blanches ou à motocyclette. Il leur arrive de faire des contrôles de papiers ou d'état des pneus. Pour s'adresser à un agent, il faut dire «Senhor Guarda».

Où se trouve le poste de police le plus proche?	**Onde fica o posto de polícia mais próximo?**

POSTES *(correios)*. Le service des postes fonctionne très bien à Lisbonne. D'allure britannique, les boîtes aux lettres sont rouge vif.

Les postes de quartier ouvrent de 9 h. à 18 h. 30, du lundi au vendredi; les plus importantes sont également ouvertes le samedi jusqu'à midi. Un service est d'autre part assuré, vingt-quatre heures sur vingt-quatre, à l'aéroport, tandis que la grande poste de la Praça dos Restauradores (en face de l'Office du Tourisme) est ouverte tous les jours de 8 h. à minuit. Voir aussi COURRIER.

On trouve aussi des timbres dans les tabacs.

Télégrammes: les bureaux de poste se chargent des communications téléphoniques à longue distance, des télégrammes et des télex. Cependant, un service de télécommunications internationales est assuré, jour et nuit, au siège de la société Marconi, 131 Rua S. Julião.

P

Je voudrais envoyer un télégramme à...	**Quero mandar um telegrama para...**
Un timbre pour cette lettre/carte postale, s'il vous plaît.	**Um selo para esta carta/este postal, por favor.**
exprès	**expresso**
par avion	**via aérea**

POURBOIRES. Bien que l'addition au restaurant ou la note d'hôtel inclue automatiquement service, taxes, etc., les employés de ces établissements ne refuseront pas le pourboire que vous leur remettriez pour un service bien rendu. Nous vous donnons ci-dessous quelques indications à ce sujet:

Bagagiste (à l'hôtel)	50–100 esc.
Femme de chambre, par semaine	200 esc.
Préposé(e) aux lavabos	20 esc.
Garçon	10% (facultatif)
Chauffeur de taxi	10%
Coiffeur/barbier	10%
Guide (excursion)	10–15%

Gardez la monnaie.	**Guarde o troco.**

R

RADIO et TELEVISION *(rádio; televisão).* La télévision portugaise, régie par l'Etat, possède deux chaînes. Les films sont généralement diffusés en version originale sous-titrée.

Il existe quatre stations de radio gouvernementales. La station 2 diffuse presque exclusivement de la musique classique, la station 4, de la musique pop quasiment sans interruption.

RECLAMATIONS *(reclamação).* Toute réclamation relative à un service défectueux ou à des prix excessifs doit être adressée à la direction de l'établissement concerné (magasin, hôtel ou restaurant) ou au siège du Ministère du Tourisme, 86 Av. António Augusto de Aguiar, 1100 Lisbonne, tél. 57 52 86. Dans ce cas, vous devrez si possible apporter tous les documents justifiant votre réclamation.

RENCONTRES. Un certain formalisme semble inévitable dans un pays où, pour s'adresser à des inconnus, on emploie une formule de politesse à la troisième personne (*comment allez-vous* donne *como está?*). Mais, bien que d'un abord réservé, les Portugais sont très accueillants. Les jeunes, comme partout, sont plus spontanés et se lient facilement. R

Les Portugais se serrent la main en toutes occasions. Mais, ne soyez pas surpris si quelqu'un vous tape vigoureusement sur le bras pour attirer votre attention. C'est leur façon d'être. Les gens, et notamment ceux qui habitent la campagne, ont tendance à dévisager les étrangers. Ils le font par simple curiosité, sans aucune malice.

Vous serez peut-être un peu embarrassé pour appeler les serveurs. En effet, au Portugal, il n'existe pas d'équivalent à notre «garçon», il faut dire *Faz favor* (s'il vous plaît). Voir aussi LANGUE.

SOINS MEDICAUX. Voir aussi URGENCES. Une assurance couvrant les risques de maladie et d'accidents à l'étranger représente un investissement utile. Votre agence de voyages ou votre assureur habituel vous proposeront des polices à des prix modiques. S

Les pharmacies *(farmácias)* ouvrent aux mêmes heures que les autres commerces. Cependant, une pharmacie de garde reste toujours ouverte dans chaque quartier jour et nuit. Vous en trouverez la liste dans les journaux ou sur la porte des autres pharmacies.

un médecin / un dentiste	**um médico / um dentista**
hôpital	**hospital**
des maux d'estomac	**mal de estômago**
une insolation	**uma insolação**
de la fièvre	**febre**

TAXIS* *(táxi)*. A Lisbonne, les taxis sont des véhicules noirs à toit vert, portant l'inscription *táxi.* A la campagne, des voitures identiques signalées par la lettre «A» (pour *aluguer* – libre) font office de taxis, mais ne disposent pas de taximètre. Vous trouverez des stations dans tous les quartiers, ainsi que dans les gares ferroviaires et maritimes, et près des stations de métro. T

Le prix est marqué au compteur; veillez à ce que ce dernier fonctionne réellement, sans quoi la facture risquerait de s'en ressentir! Certains chauffeurs comptent un supplément de 20% pour course de nuit et de 50% si le poids des bagages excède 30 kg. Voir aussi POURBOIRES.

Où puis-je trouver un taxi?	**Onde posso encontrar um táxi?**
Quel est le tarif pour...?	**Quanto custa o percurso até...?**

TELEGRAMMES – voir **POSTES**

TELEPHONE *(telefone).* Dans la rue, vous pouvez utiliser les cabines équipées de l'automatique. Elles fonctionnent avec des pièces que l'on introduit avant de composer le numéro. Celles qui n'auront pas été utilisées vous seront restituées à la fin de la communication.

De Lisbonne, on peut appeler directement nombre de pays. Toutefois, si vous devez passer par l'opératrice, composez le 099 pour une destination européenne ou le 098 pour atteindre un autre continent. Si vous composez directement votre appel, commencez par le code 00 lorsqu'il s'agit d'un correspondant européen ou le 097, suivi du code du pays et du numéro de l'abonné, pour tout autre pays du monde.

appel en p.c.v.	**paga pelo destinatário**
avec préavis	**com préaviso**
Pouvez-vous me donner ce numéro à...?	**Pode ligar-me para este número em...?**
Allô! Ici...	**Está [Alô]? Aqui fala...**
Je voudrais parler à...	**Quero falar com...**

TOILETTES *(lavabos/toiletes).* On trouve des toilettes publiques dans la plupart des stations de métro et les endroits très fréquentés de Lisbonne. Si elles sont tenues par un gardien, il est convenable de lui laisser un pourboire. *Senhoras* signifie «Dames» et *Homens,* «Messieurs».

Où sont les toilettes?	**Onde ficam os toiletes?**

TRAINS *(comboio).* Lisbonne possède quatre grandes gares ferroviaires, réparties dans la ville. La gare Santa Apolónia, que l'on atteint facilement depuis l'Avenida da Liberdade avec les bus 9 ou 9 a, assure le service des lignes internationales et dessert le nord du pays. La liaison avec la banlieue ouest, Estoril et Cascais se fait à partir de la gare Cais do Sodré. Les trains à destination de Sintra et de l'Ouest partent de la gare du Rossio. Quant à la quatrième grande gare, appelée Sul e Sueste (Sud et Sud-est), elle dispose d'un service de bateaux pour la traversée du Tage assurant la liaison avec les trains à destination du Sud, jusque dans l'Algarve. Le prix du billet comprend la traversée. Voir aussi Bateaux.

Dans la plupart des gares, les billets de 1re et 2e classes sont vendus à des guichets différents. En général, les wagons de 1re classe se reconnaissent à la bande jaune apposée au-dessus des fenêtres et au traditionnel chiffre «1» inscrit près des portes.

Quand part le train pour...?	**Quando parte o comboio para...?**
aller simple	**ida**
aller-retour	**ida e volta**

TRANSPORTS PUBLICS*. Voir aussi TRAINS. Vous découvrirez mieux Lisbonne du haut d'un autobus à impériale que du fond d'un taxi. Essayez aussi les trams pour la couleur locale, ou le métro, moderne et rapide. La plupart des transports publics fonctionnent de 6 ou 7 h. à minuit ou 1 h. du matin.

Autobus: à chaque arrêt, un panneau signale le numéro de la ligne. Vous pouvez obtenir gratuitement un plan du réseau entier aux bureaux de renseignements de Carris (qui veut dire «rail»), la société des transports municipaux. Le bureau principal se trouve au pied de l'ascenseur de Santa Justa, près de la gare du Rossio. On monte dans les bus soit par l'avant, soit par l'arrière. Vous n'aurez qu'à suivre le mouvement. Le receveur délivre les billets à l'entrée ou vient vous trouver à votre place. Gardez votre billet pendant toute la durée du trajet. Un contrôleur peut vous le demander.

Autocars: à Lisbonne, un certain nombre de gares routières assurent la liaison avec les différentes régions du pays. Il est plus simple de se renseigner directement à l'Office du Tourisme, Praça dos Restauradores, sur les points de départ des lignes. Les autocars sont confortables et d'un coût raisonnable. Ils font mieux découvrir le pays que le train. Voici deux exemples: le voyage de Lisbonne à Castelo Branco (256 km.) dure environ 4 heures; celui de Lisbonne à Coimbra (200 km.), 3 heures et demie.

Tramways: bien que branlants et peu rapides, ces vétérans de couleur jaune ne manquent pas d'éveiller des souvenirs. Au dernier recensement, plus de 40 trams en service à Lisbonne dataient d'avant la Première Guerre mondiale! Les arrêts sont indiqués par de grands panneaux, souvent suspendus aux fils électriques, portant la mention *Paragem* (arrêt). Le plan Carris des autobus signale aussi toutes les lignes de trams.

L'accès aux voitures se fait par l'avant; les billets s'achètent auprès

T du chauffeur. En revanche, dans les **funiculaires,** on prend son billet à l'entrée.

Métro: le réseau métropolitain de Lisbonne (Metropolitano) ne comporte que 20 stations dont la plupart sont situées dans les quartiers résidentiels, de moindre intérêt pour les touristes. Des plans sont affichés dans les stations et les wagons. Ce métro présente une petite particularité: dans plusieurs stations, en effet, les quais sont trop courts et seules les deux premières ou deux dernières voitures (chaque rame en comporte quatre) peuvent ouvrir leurs portes. Le pire qui puisse vous arriver est d'être bloqué jusqu'à la station suivante! Pour éviter cet inconvénient, lisez attentivement le plan et, avant de monter dans une rame, suivez les indications affichées sur le quai, en plusieurs langues.

Tarifs: vous pouvez acheter une carte touristique de transport *(passe para turistas),* valable sept jours sur les trams, les bus, les funiculaires et le métro de Lisbonne. Pour le métro, on peut acheter un carnet de dix tickets *(caderneta)* au guichet.

Combien coûte le billet pour…?	**Quanto custa o bilhete para...?**
Pourrez-vous me dire quand je dois descendre?	**Pode dizer-me quando devo descer?**
Où se trouve l'arrêt d'autobus/de tram/la station de métro la plus proche?	**Onde fica a mais próxima paragem dos autocarros/eléctricos/estação do Metro?**

U **URGENCES** *(urgência).* Voici quelques numéros qui vous seront utiles en cas d'urgence (jour et nuit):

Police	115
Pompiers	32 22 22 / 60 60 60
Ambulance (Croix-Rouge)	61 77 77

Si votre voiture est en panne, appelez le service de secours routier au 77 54 75 et demandez un *pronto socorro.* Ce service fonctionne vingt-quatre heures sur vingt-quatre. Voir aussi CONDUIRE AU PORTUGAL.

Dans la rue, vous pouvez appeler la police en utilisant les téléphones des boîtes bleues portant l'inscription *polícia.* Cependant, il est peu probable que la personne qui vous répondra parle une autre langue que le portugais.

En cas de soins dentaires urgents, appelez l'Hôpital de São José, Rua José António Serrano, tél. 86 01 31. Il dispose d'un service d'urgences générales, soins dentaires compris, qui fonctionne jour et nuit. Voir aussi SOINS MÉDICAUX.

QUELQUES EXPRESSIONS UTILES

oui/non	**sim / não**
s'il vous plaît/merci	**faz favor / obrigado (obrigada)**
pardon/je vous en prie	**perdão / de nada**
quand/où/comment	**quando/onde/como**
combien de temps/à quelle distance	**quanto tempo/a que distância**
hier/aujourd'hui/demain	**ontem/hoje/amanhã**
jour/semaine/mois/année	**dia/semana/mês/ano**
gauche/droite	**esquerdo/direito**
bon/mauvais	**bom/mau**
grand/petit	**grande/pequeno**
bon marché/cher	**barato/caro**
chaud/froid	**quente/frio**
vieux/neuf	**velho/novo**
ouvert/fermé	**aberto/fechado**
Quelqu'un parle-t-il français?	**Alguém fala francês?**
Je ne comprends pas.	**Não compreendo.**
Veuillez me l'écrire, s'il vous plaît.	**Escreva-mo, por favor.**
Que signifie ceci?	**Que quer dizer isto?**
Aidez-moi, je vous prie.	**Ajude-me, por favor.**
Appelez vite un médecin.	**Chame um médico, depressa.**
Quelle heure est-il?	**Que horas são?**
Combien coûte cela?	**Quanto custa isto?**
J'aimerais/je voudrais...	**Queria/Quero...**
Un instant.	**Um momento.**
Garçon, s'il vous plaît!	**Faz favor!**

LES JOURS DE LA SEMAINE

dimanche	**domingo**	jeudi	**quinta(-feira)**
lundi	**segunda(-feira)**	vendredi	**sexta(-feira)**
mardi	**terça(-feira)**	samedi	**sábado**
mercredi	**quarta-(feira)**		

Index

Un astérisque suivant le numéro d'une page renvoie à une carte. Les *Informations pratiques* proprement dites débutent à la page 106, mais leur sommaire figure en début de guide, à l'intérieur de la page de couverture.

INDEX

129/104 RP